站在巨人的肩上
Standing on Shoulders of Giants

www.ituring.com.cn

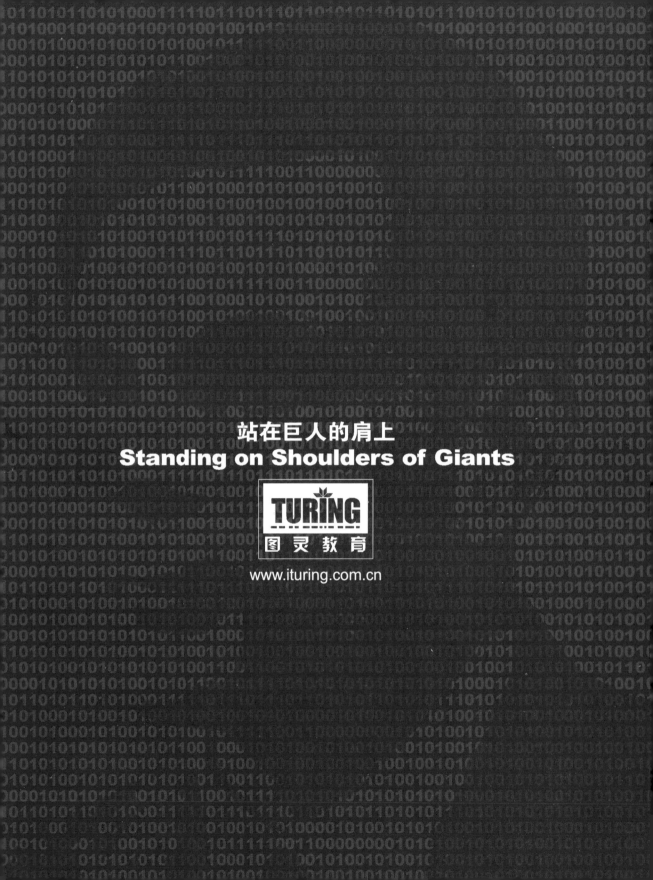

站在巨人的肩上
Standing on Shoulders of Giants

TURING 图灵交互设计丛书

认知与设计
理解UI设计准则

Designing with the Mind in Mind
Simple Guide to Understanding
User Interface Design Rules

[美] Jeff Johnson 著
张一宁 译

人民邮电出版社
北京

图书在版编目（ＣＩＰ）数据

认知与设计：理解UI设计准则 ／（美）约翰逊
(Johnson, J.) 著；张一宁译. -- 北京 ：人民邮电出版
社，2011.9 （2013.6重印）
（图灵交互设计丛书）
书名原文：Designing with the Mind in
Mind:Simple Guide to Understanding User Interface
Design Rules
ISBN 978-7-115-26141-0

Ⅰ. ①认… Ⅱ. ①约… ②张… Ⅲ. ①网页－设计
Ⅳ. ①TP393.092

中国版本图书馆CIP数据核字(2011)第156335号

内 容 提 要

本书语言清晰明了，将设计准则与其核心的认知学和感知科学高度统一起来，使得设计准则更容易地在具体环境中得到应用。涵盖了交互计算机系统设计的方方面面，为交互系统设计提供了支持工程方法。不仅如此，这也是一本人类行为原理的入门书。

本书不仅适合需要应用用户界面和交互设计准则的软件开发人员阅读，也是软件开发管理者的最佳选择。

图灵交互设计丛书

认知与设计：理解UI设计准则

◆ 著　　　[美] Jeff Johnson

　　译　　　张一宁

　　责任编辑　卢秀丽

◆ 人民邮电出版社出版发行　　北京市崇文区夕照寺街14号
　　邮编　100061　电子邮件　315@ptpress.com.cn
　　网址　http://www.ptpress.com.cn
　　北京精彩雅恒印刷有限公司 印刷

◆ 开本：800×1000　1/16
　　印张：10.5
　　字数：248千字　　　　　　　　2011年9月第1版
　　印数：17 001-19 500册　　　　2013年6月北京第6次印刷
　　　著作权合同登记号　图字：01-2010-6928号
　　　　　　ISBN 978-7-115-26141-0

定价：59.00元

读者服务热线：(010)51095186转604　印装质量热线：(010)67129223
反盗版热线：(010)67171154

版权声明

序

交互计算机系统的设计不仅仅是一门艺术，也是（至少追求成为）一门科学。好吧，实际上不是科学，但可以说是一门计算机和认知学的交叉工程学科，基于科学的技术方法创造满足指定需求的交互系统。

就像汽车、建筑和服装，交互式计算机制品可以使人在情感上愉悦，展示风格和时尚，并具有显著的社会意义。在艺术和工业设计上有很大空间可以使物品突出、耀眼、深入人心。但最终制品也必须正确地工作并适应人的活动。一座优美的建筑，其高耸的窗户却在夏日烘烤着居住者，或者房梁在暴风中弯曲，都是彻底的失败。设计者们在建造大楼前需要一定的方法将纬度、季节、通透性、容积和流通性放在一起来预测温度负载。他们也需要一整套的技术方案，例如选择隔热玻璃、窗帘、屋檐和风扇，形成规范的工程方案。工程学在设计中不是取代艺术，而是让艺术成为可能。

工程学对建筑来说已经够难了，对互动制品来说更难，原因很简单，那就是获取关于人的科学比关于建筑的更难。建立人机交互领域的追求之一就是提供这样一门支撑科学和工程学。但要怎么做呢？最简单的方法就是通过"可用性测试"，观察用户的操作，发现他们遇到的困难，并通过重新设计来修正。可用性测试是有用的、必需的，也是低效的。成果也不如工程学般能很好地积累起来，而且无法对失败有深入的洞察。认知上等同于通过烘烤让用户去发现大窗户的效果。但可用性测试可以发现系统的很多缺陷。它是可行的方法，因为交互系统的修改通常要比建筑物的重建容易得多。

最好能在一开始就避免许多错误，一种方法就是使用设计准则。与其在可用性测试中重复不断地发现红绿搭配的界面对色盲用户很不适用，不如设立准则，说明颜色使用的注意事项。然而，设计准则也有自身的问题。在实践中，设计准则可能模棱两可，或者需要对环境做出精细的解释，也可能会与其他设计准则矛盾。这就是为什么我们需要有这本书。

这本书的想法是将设计准则与其核心的认知学和感知科学高度统一起来。这样的形式有几个好处：与实际的设计联系起来使得心理学变得具体而容易理解，而设计准则因与其深层的基本原理相互关联而更容易在具体环境中应用。

Jeff Johnson 是写这样一本书的完美人选。他的整个职业生涯结合了界面设计和心理学两方面的工作。我第一次遇见他时，他是施乐 Star 系列产品的用户界面团队成员之一。施乐 Star 系列是图形用户界面的首例商业产品。因此在设计方面，他是 GUI 设计的先驱。在心理学方面，他拥有耶鲁大学和斯坦福大学的学位。他将设计和心理学结合起来，在商业交互系统上应用，在大学里教学，并从事咨询工作。他的独门秘技是能使用具体的设计范例来阐明抽象的原理。事实上，他能一针见血并令人难忘地揭示因糟糕设计而"搞砸"的例子，在这本书里也是如此。

除了设计准则之外，用科学方法来帮助设计一个系统的另一种方法是设计模型。Jeff 的书也展示了使用这种方法的例子。他演示了如何依据对象和操作对任务环境构建模型，以及如何理解实时互动的限制。

简而言之，这是一本为交互系统设计提供支持工程方法的书，同时，也是一本理解更广泛的人类行为原理的入门书，就算是设计者的认知科学速成吧。最重要的是，对于那些要把事情做好的实干者们来说，这是一本对人类大脑有深刻洞见的书。

——Stuart Card

引言

用户界面设计规则：从何而来？如何有效地使用？

自开始设计交互式计算机系统以来，就有人尝试发表用户界面设计准则（也称设计规则），以推广良好的设计。早期的准则有：

- ❑ Cheriton (1976) 为早期交互式（分时）计算机系统提出了用户界面设计准则；
- ❑ Norman (1983a, 1983b) 基于人类认知（包括认知上的错误），提出了软件用户界面设计规则；
- ❑ Smith 和 Mosier (1986) 撰写了也许是最全面的一套用户界面设计准则；
- ❑ Shneiderman (1987) 在其著作《设计用户界面》的第 1 版及所有后续版本中，都收录了"界面设计的八条金科玉律"；
- ❑ Brown (1988) 写了一本关于设计准则的书，名为《人机界面设计指导准则》；
- ❑ Nielsen 和 Molich (1990) 提供了一套用于用户界面启发式评估的设计准则；
- ❑ Marcus (1991) 介绍了针对在线文档和用户界面中图形化设计的准则。

进入 21 世纪，Stone 等（2005），Koyani、Bailey 和 Nall（2006），Johnson（2007），以及 Shneiderman 和 Plaisant（2009）提出了更多的用户界面设计指导准则。微软公司、苹果电脑公司和甲骨文公司为各自平台上的软件设计发布了相应的设计准则（Apple Computer, 2009；Microsoft Corporation, 2009；Oracle Corporation/Sun Microsystems, 2001）。

用户界面设计准则的价值有多大？这就取决于将它们应用在设计问题上的人了。

用户体验设计和评估需要理解和经验

遵循用户界面设计准则不像遵循烹饪食谱那么按部就班。设计准则经常描述的是目标而不是操作。它们特意做到极其概括从而具有更广泛的适用性，但这也意味着，人们对它们准确的意义和在具体设计情境上的适用性经常会做出不同的诠释。

更复杂的是，对于一个设计情境，经常会有多个规则看起来都适用。这时，这些设计准则经常会相互冲突，即它们指向不同的设计。这要求设计师确定哪个设计准则更适用于给定的环境，从而优先应用。

即使没有冲突的设计准则，设计问题也经常会有多个冲突的目标，例如：

- ❑ 屏幕要明亮，又要电池寿命长；
- ❑ 轻便又要坚固；
- ❑ 功能多又要容易学；
- ❑ 功能强大又要系统简单；
- ❑ WYSIWYG（所见即所得），又要盲人可用。

要满足这些计算机产品或服务的所有设计目标，通常需要权衡——大量的权衡。在冲突的设计准则中找到合适的平衡点还需要更进一步的权衡。

面对这些复杂情况，技艺娴熟的 UI 设计者或评估必须更深思熟虑，而不是盲目地应用用户界面设计规则和准则。用户界面设计规则和准则更像法律，而不是生搬硬套的食谱。就像一套法律必须由精通法律的律师和法官来使用和诠释一样，一套用户界面设计准则最好由理解其基本原则并有过应用经验的人来使用和诠释。

遗憾的是，用户界面设计准则通常都是以设计布告的简单列表形式提供的，几乎没有提供任何理论依据或背景。当然有少数例外，比如 Norman（1983a）。

再者，虽然很多早期用户界面设计和可用性的从业人员拥有认知心理学的知识背景，但大部分新参与的人并没有。这让他们很难理性地应用用户界面设计准则。

提供这样的理论依据和背景正是本书的着眼点。

用户界面设计准则的比较

表 I-1 并排列出了两类最著名的用户界面设计准则，展示了它们包含的规则类型和相互间的比较（更多的准则可参考附录）。比如，二者的第一条规则都是提倡设计的一致性。它们也都包含错误预防的规则。Nielsen-Molich 的规则"帮助用户识别、诊断错误，并从错误中恢复"接近于 Shneiderman-Plaisant 的规则"允许容易的操作反转"，而"用户的控制与自由"则对应"让用户觉得他们在掌控"。这种相似有其原因，而这并不是因为后者受到了前者的影响。

设计准则从何而来

对当前的讨论而言，这些设计准则的共性——它们的基础和起源，比每套设计准则的具体规则更重要。这些设计准则从何而来？它们的作者只是像时装设计师一样，试图将个人的设计品味强加在计算机和软件业上吗？

表 I-1　两类最著名的用户界面设计准则

Shneiderman (1987); Shneiderman & Plaisant (2009)	Nielsen & Molich (1990)
□ 力争一致性 □ 提供全面的可用性 □ 提供信息充足的反馈 □ 设计任务流程以完成任务 □ 预防错误 □ 允许容易的操作反转 □ 让用户觉得他们在掌控 □ 尽可能减轻短期记忆的负担	□ 一致性和标准 □ 系统状态的可见性 □ 系统与真实世界的匹配 □ 用户的控制与自由 □ 错误预防 □ 识别而不是回忆 □ 使用灵活高效 □ 具有美感的和极简主义的设计 □ 帮助用户识别、诊断错误，并从错误中恢复 □ 提供在线文档和帮助

如果是这样，这些设计准则会因各自作者追求与众不同而变得非常不一样。实际上，忽略在措辞、强调点以及撰写时计算机技术状态的不同之后，所有这些用户界面设计准则是很相似的。这是为什么呢？

答案在于，所有设计准则都基于人类心理学：人们如何感知、学习、推理、记忆，以及把意图转换为行动。许多设计准则的作者至少有一些心理学背景，应用于计算机系统设计上。

例如，Don Norman 远在开始从事人机交互方面的写作之前，就已经是认知心理学领域的一名教授、研究者和多产作家了。Norman 早期的人机设计准则就基于他本人和其他人在人类认知方面的研究。他特别关注的是人们经常犯的认知性错误，以及计算机系统如何减少或消除这些错误造成的影响。

类似地，其他设计准则的作者，比如 Brown、Shneiderman、Nielsen 和 Molich，也都在应用感知和认知心理学的知识，尝试改进交互系统的设计，使其更具可用性和实用性。

说到底，用户界面设计准则是以人类心理学为基础的。

阅读本书，你将学到用户界面和可用性设计准则背后重要的心理学知识。

读者对象

本书主要针对需要应用用户界面和交互设计准则的软件开发从业人员，这自然包括交互设计者、用户界面设计者，以及用户体验设计者、图形设计者和硬件产品设计者，也包括那些在评审软件或分析观察到的使用问题时经常需要参考设计启发思路可用性测试者和评估者。

本书的第二类读者是那些软件开发管理者们，他们需要了解一些用户界面设计准则的心理学知识，从而理解和评估下属的工作。

目录

第 1 章

我们感知自己的期望

我们对周围世界的感知不是对其真实的描述。我们感知到的很大程度上是我们期望感知到的。有以下三个因素影响我们的预期，也因此影响我们的感知。

- ☐ **过去** 我们的经验。
- ☐ **现在** 当前的环境。
- ☐ **将来** 我们的目标。

经验影响感知

想象一下你拥有一家大型保险公司，并将与一位房地产经理开会讨论公司新园区的建设方案。园区有五座建筑排成一排，后两座有给自助餐厅和健身中心采光的 T 字形庭院。如果这位房地产经理向你展示如图 1-1 所示的图，你就会看到代表这些建筑物的五个图块。

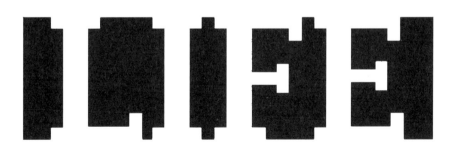

图 1-1

建筑地图还是单词？你看到的取决于告诉你看什么

现在想象一下与你见面的不是房地产经理，而是一位广告经理，讨论的是一个将在全国某些市场发布的广告牌。广告经理给你看的是同样的图像，但这次是广告牌的略图，由一个单词构成。这次，你清晰无误地看到了一个单词"LIFE"。

当感知系统预先准备看的是建筑物的形状时，你就看到了建筑物的形状，几乎察觉不到建筑物之间的白色区域。当感知系统预先准备去看文字时，你就看到了文字，也几乎注意不到字母间的黑色区域。

先入为主能够影响感知，有个著名的例子是一张素描。这张素描据传由 R.C.James 所绘[①]，大部分人对它的第一印象就是随手泼出的墨点。在继续阅读之前，先看看这张素描（见图 1-2）。

图 1-2

先入为主在视觉上的效果。你看到了什么

只有在告诉你这是一只在树附近嗅着地面的斑点狗之后，你的视觉系统才会把影像组织成一幅完整的画面。不仅如此，一旦你"看到了"这只狗，就很难再回头把这张素描看成随机无序的点。

以上是视觉的例子。经验也会影响其他类型的感知，如对语句的理解。例如，在不久前听说过疫苗污染事故的人与最近听说过利用疫苗成功对抗疾病的人，他们对"新疫苗含有狂犬病毒"这个标题或许就有不同的理解。

计算机软件和网站的用户经常不认真看屏幕就点击按钮或者链接。他们更多是靠以往的经验来引导他们对界面的感知，而不是看清屏幕上的实际内容。有时这会让软件设计者感到挫败，他们总以为用户会去看屏幕上有什么。但感知并非如此运作。

---

① 发表在 Marr（1982）中，见图 3-1。——编者注

　　例如，在一个多页对话框①的最后一页，"Next"（下一步）和"Back"（返回）按钮交换了位置，很多人就不会立刻注意到（见图 1-3）。前几页上布置一致的按钮麻痹了他们的视觉系统。甚至在无心地返回了几次之后，他们可能仍然觉察不到按钮不在标准位置上。这就是为什么"控件的摆放要一致"是一个常见的用户界面设计准则。

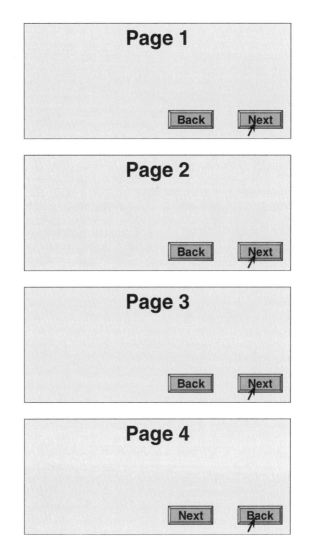

图 1-3
"Next"按钮感觉是在一致的位置上，即使并非如此

---

① 多步对话框在用户界面设计的术语叫"向导"。——编者注

类似地，在寻找某件东西时，如果它不在老地方或者看起来与往常不同，即使就在眼皮底下我们也可能视而不见。这是因为经验调整我们到期望的地方依据期望的特征去寻找。例如，如果一个网站某个表单上"提交"按钮的形状或者颜色与其他表单上的按钮不同，用户就可能找不到它。本章在关于目标如何影响感知的一节中，会深入讨论这种由预期导致的盲目性。

环境影响感知

当我们试图去理解视觉如何工作时，很容易认为它是一个自下而上的过程，将边、线条、角度、弧线和纹路等基本要素组成图案并最后形成有意义的事物。以阅读为例，你可能假设我们的视觉系统首先识别字母，把它们组合成单词，再将单词组合成句子，如此继续。

但视觉感知，尤其是阅读，不完全是一个自下而上的过程，其中也有自上而下的作用。例如，包含某个字母的单词能够影响我们对这个字母的判断（见图 1-4）。

THE CHT

图 1-4
同样的字符受其附近的字母的影响而被感觉成 H 或 A

类似地，我们对一句话或者一段话完整的理解甚至能够影响我们所看到的单词。例如，同样的字母序列可以因前后段落的含义不同而被理解成不同的单词（见图 1-5）。

Fold napkins. *Polish silverware.* **Wash dishes.**

French napkins. *Polish silverware.* **German dishes.**

图 1-5
同样的短语因其所在的短语组不同而有不同的解读

周围环境对感知的影响也同样存在于不同感官之间。五个感官任何之一的感知都可能同时影响其他感官的感知。例如：

❑ 我们听到的能影响我们看到的，反之亦然；
❑ 我们听到、看到或者闻到的能影响我们的触觉。

后续章节将解释人脑中的视觉感知、阅读和认知功能。现在就简单地表述为：对于识别一个字母、一个单词、一张脸或者其他任何物体的神经活动,都包含了环境刺激产生的神经信号的输入。这个环境包括感知到的其他邻近对象和事件,甚至由环境激活的对以往感知到的对象和事件的记忆。

环境不仅影响人的感知,也影响低级动物的感知。一位朋友经常带着她的狗开车出门办事。一天当她开进自家车道时,有一只猫在前院。她的狗看见了就开始叫。我的朋友一打开车门,这狗就蹿出去追那只猫,猫立刻转身跳进灌木丛中逃跑了。这狗扎进灌木丛但没逮到猫。那之后一段时间里,这狗就一直很烦躁不安。

之后在我的朋友住在那里的那段时间,每次她开车带着狗回到家,它就兴奋地叫起来,并在车门打开那一刻跳出去,冲过院子,跃入灌木丛。没有猫在那里,但那并不重要。乘着车回到家对这狗来说已经足够让它看见甚至可能闻到一只猫。然而,如果是走回家,比如每天遛完它后,"猫幻影"就不会发生。

目标影响感知

除经验和当前环境会影响感知外,我们的目标和对将来的计划也会影响我们的感知。具体地说,我们的目标会过滤我们的感知:与目标无关的东西会被提前过滤掉,而不会进入到意识层面。

例如,当人们在软件里或者网站上寻找信息或者某个功能时,他们并不会认真阅读,只是快速而粗略地扫描屏幕上与目标相关的东西。他们不是仅仅忽略掉与目标无关的东西,而是经常根本注意不到它们。

要了解这一点,请在图 1-6 中的工具箱里找到剪刀,然后立刻回到这里。现在就试试看。

图 1-6
工具箱:这里有剪刀吗

你发现剪刀了吗？现在不去看工具箱，你能说出来那里面有没有螺丝刀吗？

除了视觉，我们的目标还过滤其他感官的感知。一个熟悉的例子是"鸡尾酒会"效应。如果你在一个拥挤的酒会上与某人谈话，你能把大部分注意力放在他说的话上，即使身边还有许多人在对话。你对谈话的兴趣越大就越能过滤掉周围的对话。如果你对谈话内容感到乏味了，多半就会越来越多地听到周围的谈话。

这个效应首次记录于对空中交通管制员的研究中。即使在控制室的同一个扩音器里传出在同一个频道上同时进行的许多不同的对话，空中交通管制员们仍然能够与被指派的飞机上的飞行员进行对话（Arons, 1992）。研究表明，在多个同时进行的对话中，专注于一个对话的能力不仅取决于对谈话内容感兴趣的程度，也取决于客观因素，如在杂音中熟悉的语音、常见"噪声"的量（如碗碟的碰撞声或者喧闹的音乐）以及能否预见谈话对象要说什么（Arons, 1992）。

目标对感知的过滤在成年人身上特别可靠，他们比儿童对目标更专注。儿童更容易被刺激驱使，目标较少地过滤他们的感知。这种特点使得他们比成年人更容易分心，但也使得他们观察时更不容易被影响。

一个客厅游戏展示了年龄差异在感知过滤上的差别。它类似刚才的"看看工具箱"的练习。大多数的家里都有一个专门放厨房器具或者工具的抽屉。请一个人从客厅到那个抽屉所在的房间，要求他拿来某个工具，比如量勺或者水管扳手。当他带着工具回来时问他在抽屉里是否有另外某个工具。大部分成年人不记得抽屉里还有什么其他东西。但孩子们通常能够告诉你那里面还有什么其他东西，如果他们完成了任务，而没有被抽屉里其他很酷的玩意彻底吸引走的话。

感知过滤在网站导航中也能观察到。假设我要你去新西兰的 Canterbury 大学（见图 1-7）的主页并打印标示出计算机科学系的校园地图。你会扫描网页并可能很快地点击那些含有与目标相关的单词的链接：Departments（左上方），Departments and Colleges（左边中间），或者 Campus Maps（右下角）。如果你是个"搜索"人，也许就直接到搜索框（中间右边）输入与目标相关的单词，然后点击"Go"。

不论你是浏览还是搜索，都很可能没注意到自己被随机地挑中赢得 100 美元（左下角）而直接离开了主页。为什么？因为那与你的目标无关。

当前的目标影响我们的感知的机理是什么？有两个。

- ❏ **影响我们注意什么**　感知是主动的，不是被动的。我们始终移动眼睛、耳朵、手等去寻找周围与我们正在做或者正要做的事最相关的东西（Ware, 2008）。如果我们在一个网站上找园区地图，那些能够引导我们去完成目标的对象就会吸引我们的眼睛和控制鼠标的手。我们会或多或少地忽略掉与目标无关的东西。

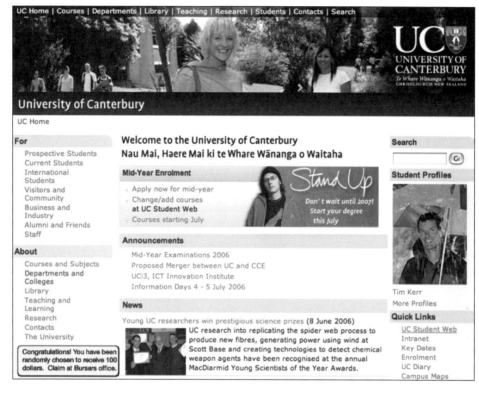

图 1-7
Canterbury 大学的主页：网页导航过程包含感知过滤

❑ **使我们的感知系统对某些特性敏感**   当我们在寻找某件物品时，大脑能预先启动我们的感官，使得它们对要寻找的东西变得非常敏感（Ware, 2008）。例如，要在一个大型停车场找一辆红色轿车时，红颜色的车会在我们扫描场地时跃然而出，而其他颜色的车就几乎不会被注意到，即使我们的确"看到"了它们。类似地，当我们试图在一个黑暗拥挤的房间里寻找自己的伴侣时，大脑会对我们的听觉系统进行"编程"，从而对她或他的声音的频率组合非常敏感。

对设计意味着什么

这些对感知的影响因素对于用户界面设计有以下三点启发。

避免歧义

避免显示有歧义的信息，并通过测试确认所有用户对信息的理解是一致的。当无法消除歧义时，要么依靠标准或者惯例，要么告知用户用你期望的方式去理解歧义之处。

例如，电脑上的显示经常将按钮和文本输入框渲染成看起来高于背景面（见图 1-8）。这种显示方式依赖一个大多数有经验的电脑用户都熟悉的惯例——光源在屏幕的左上角。如果以其他位置的光源来渲染按钮，用户是无法看出它凸起的。

图 1-8
电脑屏幕上的按钮经常带有阴影以呈现三维效果，但这种惯例只有在假设模拟光源在左上角时才有用

保持一致

在一致的位置摆放信息和控件。不同页面上提供的相同功能的控件和数据显示应该摆放在每一页上相同的位置，而且它们还应该有相同的颜色、字体和阴影等。这样的一致性能让用户很快地找到和识别它们。

理解目标

用户去用一个系统是有目标的。设计者应该了解这些目标，要认识到不同用户的目标可能不同，而且他们的目标强烈左右他们能感知到什么。在一次交互的每个点上，确保提供了用户需要的信息，并非常清晰地对应到一个可能的用户目标，使用户能够注意到并使用这些信息。

第 2 章

为观察结构优化我们的视觉

20 世纪早期，一个由德国心理学家组成的研究小组试图解释人类视觉的工作原理。他们观察了许多重要的视觉现象并对它们编订了目录。其中最基础的发现是人类视觉是整体的：我们的视觉系统自动对视觉输入构建结构，并且在神经系统层面上感知形状、图形和物体，而不是只看到互不相连的边、线和区域。"形状"和"图形"在德语中是 Gestalt，因此这些理论也就叫做视觉感知的格式塔（Gestalt）原理。

如今的感知和认知心理学家更多是把格式塔原理视为描述性的框架，而不是解释性和预测性的理论。如今的视觉感知理论更倾向基于眼球、视觉神经和大脑的神经心理学（见第 4 章到第 7 章）。

并不意外，神经心理学家的发现支持了格式塔心理学家的观察结果。我们像其他动物一样，依据整体的对象来感知周围的环境——这是有神经系统基础的（Stafford & Webb，2005；Ware，2008）。因此，格式塔原理虽然不是对视觉感知的基础性解释，但仍然是一个合理的描述框架。格式塔原理也为图形和用户界面设计准则提供了有用的基础（Soegaard，2007）。

对我们当前的讨论，最重要的格式塔原理有：接近性原理、相似性原理、连续性原理、封闭性原理、对称性原理、主体 / 背景原理和共同命运原理。在后续小节中，我会介绍每个原理，并列举静态图形设计和用户界面设计的例子。

格式塔原理：接近性

接近性原理说的是物体之间的相对距离会影响我们感知它们是否以及如何组织在一起。互相靠近（相对于其他物体）的物体看起来属于一组，而那些距离较远的就不是。

在图 2-1 中，左边的星相互之间在水平方向上比在垂直方向上靠得更近，因此我们看到星排成三行；而右边的星在垂直方向上更接近，因此我们看到星排成三列。

图 2-1

接近性：相互靠近的物体看起来属于一组。左边为成行的星，右边为成列的星

接近性原理与软件、网站和电器设备中的控件面板和数据表单的布局明显相关。设计者们经常使用分组框或分割线将屏幕上的控件和数据显示分隔开（见图 2-2）。

图 2-2

在 Outlook 的分发列表成员的对话框中，操作列表按钮放置在一个分组框里，与窗口控制按钮分开

然而，根据接近性原理，可以通过拉近某些对象之间的距离，拉开与其他对象的距离使它们在视觉上成为一组，而不需要分组框或者可见的边界（见图 2-3）。许多图形设计专家推荐这一方式来减少用户界面上的视觉凌乱感和代码数量（Mullet & Sano，1994）。

图 2-3

Mozilla Thunderbird 的订阅目录对话框中使用了接近性原理来摆放控件

相反地，如果控件摆放得不合适，比如，相关的控件之间距离太远，人们就很难感知到它们是相关的，软件就变得更加难以学习和记忆。例如，Discreet 软件安装程序将代表双项选择的六对单项按钮横向摆放，但根据接近性原理，它们的间距使其看起来像两列垂直摆放的单项按钮，每列代表了一个六项选择。不经过尝试，用户是无法学会如何操作这些选项的（见图2-4）。

图 2-4

在 Discreet 软件安装程序中，摆放不正确的单项按钮看起来是按列分组的

格式塔原理：相似性

格式塔相似性原理指出了影响我们感知分组的另一个因素：如果其他因素相同，那么相似

的物体看起来归属于一组。在图 2-5 里，稍微大一点的"空心"的星感觉上属于一组。

图 2-5
相似性：如果物体看起来相似，就感觉属于一组

　　Mac OS 应用程序中的页面设置对话框使用了相似性原理和接近性原理来体现分组（见图 2-6）。这三个非常相似和靠近的页面方向设置很清晰地表明它们归属于一组。三个菜单并不紧靠着摆放，但因看起来足够相似而显得相关，虽然这可能并不是设计初衷。

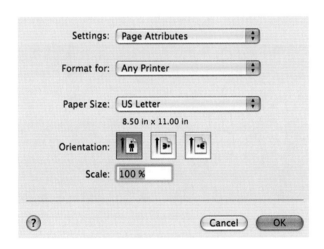

图 2-6
Mac OS 的页面设置对话框：在方向设置上使用了接近性原理和相似性原理

　　类似地，出版商 Elsevier 的网站将一个表单中的上方七个文本输入框组织为地址组（还分为三个小组），三个拆分字段为电话号码组，还有两个单独的文本框。四个菜单，不仅作为输入

项，而且将文本输入框分开（见图2-7）。相比之下，标签就离对应的字段太远了。

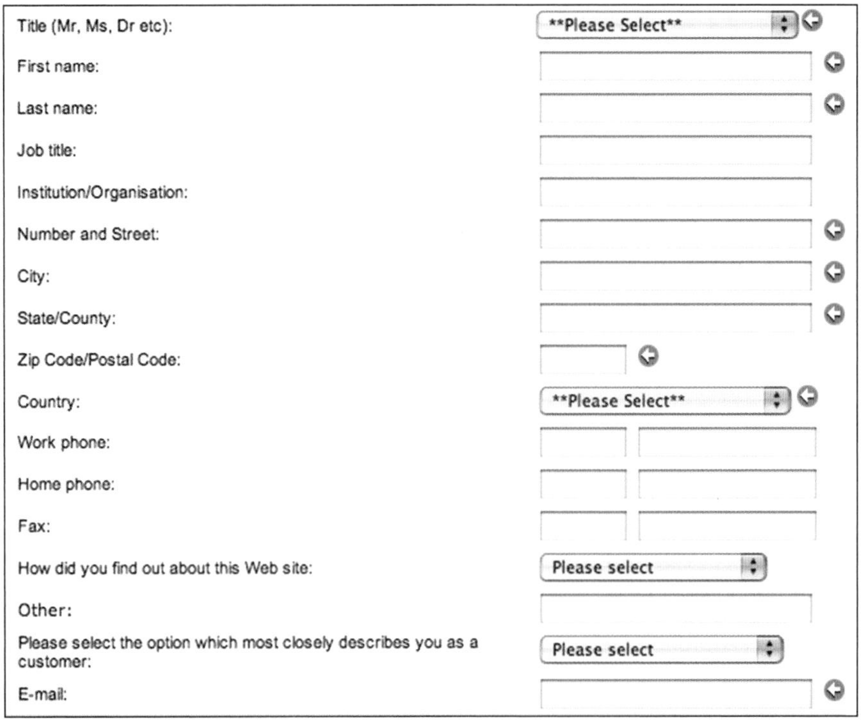

图 2-7

Elsevier.com 的在线表单：相似性原理让文本框看起来属于不同的组

格式塔原理：连续性

　　上述两个格式塔原理都与我们试图给对象分组的倾向相关，另外几个格式塔原理则与我们的视觉系统试图解析模糊或者填补遗漏来感知整个物体的倾向相关。第一个是连续性原理：我们的视觉倾向于感知连续的形式而不是离散的碎片。

　　例如，在图2-8的左图中，我们自动看到了一蓝一橙两条交叉的线。我们看到的不是两段橙色线和两段蓝色线，也不是一个蓝色和橙色的V形位于一个倒置的橙色和蓝色的V形之上。在右图中，我们看到的是一只水中的海怪，而不是一只海怪的三段身体。

　　在图形设计中，使用了连续性原理的一个广为人知的例子就是IBM的标志。它由非连续的蓝色块组成，但一点也不含糊——很容易就能看到三个粗体字母，就像透过百叶窗看到的效果（见图2-9）。

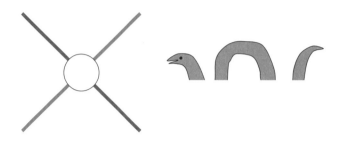

图 2-8

连续性：人类视觉倾向于看到连续的形式，必要时甚至会填补遗漏

图 2-9

IBM 公司的标志使用了连续性原理使非连接的色块形成字母

滑动条控件是使用了连续性原理的一个用户界面示例。滑动条表示一个范围，我们看到的是滑动条某个位置上有一个"被控制"的滑动手柄，而不是由滑动手柄分隔成的两个不同区间（见图 2-10a）。即使将滑动手柄的两端的滑动条显示成不同颜色，也不会完全"打破"我们对滑动条是一个连续整体的感知，尽管 ComponentOne 选择使用强烈反差的颜色（灰色与红色）肯定会稍微影响人们连续性的感知（见图 2-10b）。

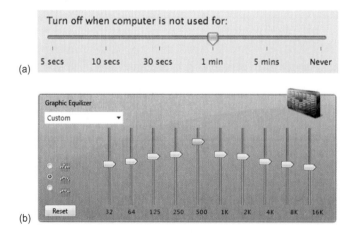

图 2-10

连续性：我们眼中的滑动条是一个在其某处有个手柄的狭槽，而不是由手柄分隔开的两个狭槽

格式塔原理：封闭性

与连续性相关的是格式塔封闭性原理：我们的视觉系统自动尝试将敞开的图形关闭起来，从而将其感知为完整的物体而不是分散的碎片。因此，我们对图 2-11 的左图中分散的弧形感知为一个圆。

我们的视觉系统强烈倾向于看到物体，以至于它能将一个完全空白的区域解析成一个物体。我们能将图 2-11 的右图中的形状组合感知为一个白色三角形、另一个三角形和三个黑色圆形叠加在一起，即使画面实际上只有三个 V 形和三个黑色的吃豆人。

图 2-11
封闭性：人类视觉倾向于看到整个物体，即使它们是不完整的

封闭性原理经常被应用于图形用户界面（GUI）。例如，GUI 经常用叠起的形式表示对象的集合，例如文档或者消息（见图 2-12）。仅仅显示一个完整的对象和其"背后"对象的一角就足以让用户感知到由一叠对象构成的整体。

图 2-12
描绘一叠对象的图标展示了封闭性原理：部分可见的对象被感知为一个整体

格式塔原理：对称性

格式塔对称性原理则抓住了我们观察物体的第三种倾向性：我们倾向于分解复杂的场景来降低复杂度。我们的视觉区域中的信息有不止一个可能的解析，但我们的视觉会自动组织并解析数据，从而简化这些数据并赋予它们对称性。

例如，我们将图 2-13 中左边复杂的形状看成是两个叠加的菱形，而不是两块顶部对接的隅砖或者一个中心为小四方形的细腰八边形。一对叠加的菱形比其他两个解释更简单，它的边更少并且比另外两个解析更对称。

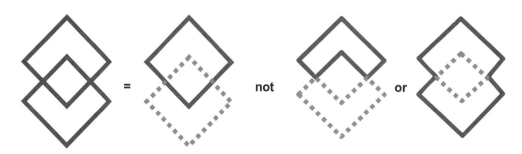

图 2-13
对称：人类的视觉系统试图将复杂的场景解析为简单和对称形状的组合

在印刷图片和电脑屏幕上，可以利用视觉系统对对称性原理的依赖，用平面显示来表现三维物体。这可以从 Paul Thagard 的著作 *Coherence in Thought and Action*（Thagard，2002，见图 2-14）的封面设计和一个城市景观的三维渲染中看出（见图 2-15）。

图 2-14
Coherence in Thought and Action（Thagard, 2002）一书的封面使用了对称性、封闭性和连续性原理来表现一个立方体

图 2-15
对称性：人类视觉系统将非常复杂的二维图像解析成三维场景

格式塔原理：主体 / 背景

　　下一个描述我们的视觉系统如何组织数据的格式塔原理是主体 / 背景原理，它指出我们的大脑将视觉区域分为主体和背景。主体包括一个场景中占据我们主要注意力的所有元素，其余的则是背景。

　　主体 / 背景原理也说明场景的特点会影响视觉系统对场景中的主体和背景的解析。例如，当一个小物体或者色块与更大的物体或者色块重叠时，我们倾向于认为小的物体是主体而大的物体是背景（见图 2-16）。

图 2-16
主体 / 背景：当物体重叠时，我们把小的那个看成是背景之上的主体

　　然而，我们对主体与背景的差别的感知并不全部由场景的特点决定，也依赖于观者的注意力的焦点。荷兰艺术家 M. C. Escher 利用这个现象创作了二义性的画作，其中的主体和背景随着我们的注意力的转换而交替变化（见图 2-17）。

图 2-17
M. C. Escher 在他的作品中利用了主体 / 背景二义性

　　在用户界面设计和网页设计中，主体 / 背景原理经常用来在主要显示内容"之后"放置印象诱导的背景（见图 2-18）。背景可以传递信息（用户当前所在位置），或者暗示一个主题、品牌或者内容所表达的情绪。

图 2-18
AndePhotos.com 上使用主体 / 背景原理来显示在内容"之后"的主题水印

　　主体 / 背景原理也经常用来在其他内容之上弹出信息。作为用户注意力焦点的内容临时成为了新信息的背景，新的信息短暂地作为新的主体（见图 2-19）。这种方式通常比将旧信息临时替换成新信息更好，因为这能够帮助用户理解他们在交互中所处的环境。

图 2-19
GRACEUSA.org 使用主体 / 背景原理在页面内容 "之上" 弹出一幅照片

格式塔原理：共同命运

　　前面 6 个格式塔原理针对的是静态（非运动）图形和对象，最后一个格式塔原理——共同命运，则涉及运动的物体。共同命运原理与接近性原理和相似性原理相关，都影响我们所感知的物体是否成组。共同命运原理指出一起运动的物体被感知为属于一组或者是彼此相关的。

　　例如，在数十个五边形中，如果其中 7 个同步地前后摇摆，人们将把它们看成相关的一组，即使这些摇摆的五边形互相之间是分离的，而且看起来与其他的也没什么不同（见图 2-20）。

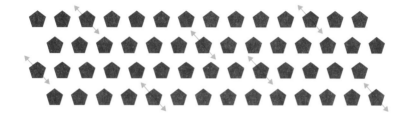

图 2-20
共同命运：一起运动的物体看起来是一组的或者相关的

共同的运动暗示共同的历程，在一些动态模拟中可用以展示不同实体的关系。例如，GapMinder 的图像中代表国家的点模拟经济发展的多个因素随着时间变化而变化，一同运动的国家具有相同的发展历史（见图 2-21）。

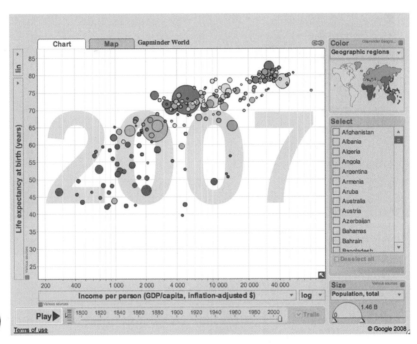

图 2-21
共同命运：GapMinder 动画模拟点显示哪些国家具有相似的发展历史

将格式塔原理综合起来

当然，在现实世界的视觉场景中，各种格式塔原理不是孤立的，而是共同起作用的。例如，一个典型的 Mac OS 桌面通常可以示范之前提到的 7 个原理中的 6 个（除了共同命运原理）：接近性原理、相似性原理、连续性原理、封闭性原理、对称性原理以及主体 / 背景原理（见图 2-22）。在典型的桌面中，当用户一次选取多个文件或者目录并拖曳到新的位置时，就用到了共同命运原理（与相似性原理一起）（见图 2-23）。

同时用上所有的格式塔原理时，设计可能会导致无意产生的视觉关系。推荐的办法是，在设计一个显示之后，使用每个格式塔原理——接近性原理、相似性原理、连续性原理、封闭性原理、对称性原理、主体 / 背景原理以及共同命运原理，来考量各个设计元素之间的关系是否符合设计的初衷。

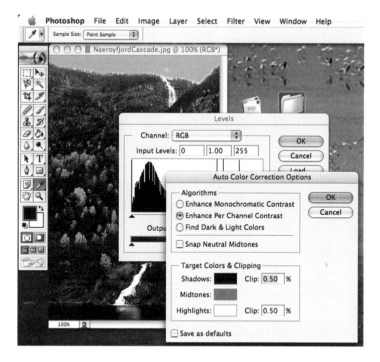

图 2-22
除了共同命运原理之外，所有的格式塔原理在 Mac OS 桌面的这一部分都发挥了作用

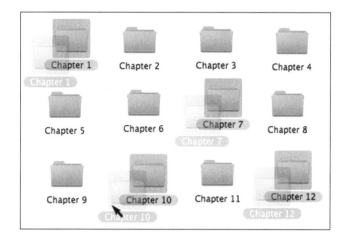

图 2-23
相似性原理和共同命运原理：当用户拖曳选中的文件夹时，共同的高亮和运动使得所有被选中的文件夹看起来是一组的

第 3 章

我们寻找和使用视觉结构

第 2 章使用格式塔原理来展示我们的视觉系统是如何被优化从而感知结构的。在我们所处的环境里，感知结构让我们能更快地了解物体和事件。第 2 章也提到了当人们在软件和网站中导航时，他们并不仔细检查屏幕并阅读每一个词，他们会很快地扫描相关信息。本章将展示几个例子，来说明当信息以简洁和结构化的方式呈现时，人们更容易浏览和理解。

考虑一下对同一机票预定信息的两种呈现方式，一个是松散无结构的文字，另一个是以概述的形式结构化的文字（见图 3-1）。结构化呈现的订票信息比用松散文字呈现的能够被更快地浏览和理解。

Unstructured:

You are booked on United flight 237, which departs from Auckland at 14:30 on Tuesday 15 Oct and arrives at San Francisco at 11:40 on Tuesday 15 Oct.

Structured:

Flight: **United 237, Auckland → San Francisco**
Depart: **14:30   Tue 15 Oct**
Arrive: **11:40   Tue 15 Oct**

图 3-1
结构化呈现的航班预定信息更容易浏览和理解

信息呈现方式越是结构化和精炼，人们就越能更快和更容易地扫描理解。看看加利福尼亚州机动车管理局网站的内容页面（见图 3-2），啰嗦重复的链接拖慢了用户的查看速度，并且把他们需要看到的重要文字都"掩埋"了。

假设有个更精炼、更结构化的设计，去掉重复并只把代表选项的文字标记为链接，再比较一下（见图 3-3）。所有存在于实际网页中的选项在新设计里都保留了，但占用的页面空间更少，同时也更容易浏览。

Renewals, Duplicates, and Information Changes for Driver Licenses and/or ID Cards

- How to renew your driver license in person
- How to renew your driver license by mail
- How to renew your driver license by Internet
- How to renew your instruction permit
- How to apply for a duplicate driver license or identification (ID) card
- How to change your name on your driver license and/or identification (ID) card
- How to notify DMV of my change of address
- How to register for the organ donor gift of life program

图 3-2
加利福尼亚州机动车管理局网站的内容页面上，重要的信息被掩埋在散乱重复的文字之中

Licenses & ID Cards: Renewals, Duplicates, Changes

• Renew license:	in person	by mail	by Internet
• Renew:	instruction permit		
• Apply for duplicate:	license	ID card	
• Change of:	name	address	
• Register as:	organ donor		

图 3-3
加利福尼亚州机动车管理局网站内容页面去掉重复的文字，使用更好的视觉结构

显示搜索结果也是如此，可以通过信息结构化和避免重复的"噪声"来提高用户浏览速度，从而更快找到所要的结果。2006 年，HP.com 的搜索结果里每条搜索结果带有太多重复的导航信息和元数据，这毫无用处。到了 2009 年，HP 消除了重复并把结果结构化，使得它们更容易浏览，也更有用了（见图 3-4）。

当然，要让信息能够被快速地浏览，仅仅把它们变得精炼、结构化和不重复是不够的，它们还必须遵从图形设计的规则，第 2 章已经介绍了其中的一些。

例如，一个房地产网站上的预览版的按揭计算器将其计算结果用表单的形式展示，就违反了至少两条重要的图形设计的规则（见图 3-5 左）。其一，人们在线或离线阅读时通常是从上往下，但计算结果的标签却被放置在其结果值的下方；其二，标签和对应的值与下一个值之间的距离一样近，因此标签与其对应的值不能通过接近性（见第 2 章）被感知到是相关的。用户要理解这张按揭计算表格，就得非常费劲地认真检查，慢慢地搞清楚哪个标签对应哪个值。

相反，在改进后的设计中，用户不必依靠主动思考就能明白标签和值之间的对应关系（见图 3-5 右）。

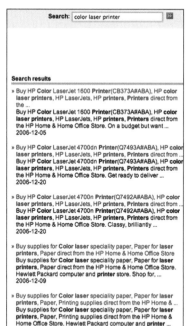

图 3-4

2006 年，HP.com 的站内搜索呈现重复的、高噪声的结果（左图），但在 2009 年做了改进（右图）

图 3-5

左图为一个按揭计算软件显示的按揭计算汇总，右图为改进后的设计

结构提高了用户浏览长数字的能力

即使是少量的信息也能通过结构化使其更容易被浏览。电话号码和信用卡号码（见图 3-6）就是两个例子。为了容易浏览和记忆，习惯上这两类号码会被分割为多个部分。

```
Easy:   (415) 123-4567
Hard:   4151234567


Easy:   1234  5678  9012  3456
Hard:   1234567890123456
```

图 3-6
电话号码和信用卡号码分段后更容易查看和理解

一个长串的数字可以用两种方式分隔：用户界面明确地为不同部分提供独立字段，或者界面提供一个字段，但允许用户输入时将号码用空格或者其他符号分隔开（见图 3-7a）。然而，现在许多电脑上电话号码和信用卡号码都没有分割开，也不允许用户用空格分开（见图 3-7b）。这样的限制使用户查看和核实号码变得非常困难。

(a)

(b)

图 3-7
（a）在 Democrats.org 网站上，信用卡号码允许输入空格；（b）StuffIt.com 不允许信用卡号码带有空格，使得号码难以查看与核实

即使要输入的数据在严格意义上讲不是数字，分割开的数据字段也能提供有用的视觉结构。日期就是这样一个例子，就像美洲银行网站的日期字段的例子所示，分隔开的字段不仅提高了可读性，还能防止输入错误（见图 3-8）。

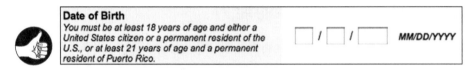

图 3-8
BankOfAmerica.com：分开的数据字段提供了有用的结构

数据专用控件提供了更多的结构

结构从分割字段再往前一步就是数据专用控件。设计者可以用控件而不是用简单的（不论分割还是不分割的）文本输入框来显示某个具体类型的数据的值和接收输入。例如：日期可以用菜单与弹出日历控件合并的形式来显示和接受（见图 3-9）。

 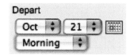

图 3-9
NWA.com：日期的显示和输入采用一个专门为日期设计的控件

将分段的文本字段和数据专用控件合并起来也可以提供可视化结构，就像美国西南航空网站上的电子邮件地址输入字段所展示的那样（见图 3-10）。

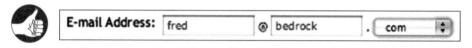

图 3-10
SWA.com：使用分段的文本输入并结合数据专用控件来显示和接收邮件地址

视觉层次让人专注于相关的信息

可视化信息显示的最重要目标之一是提供一个视觉层次，即信息的布置安排能够：

- ❑ 将信息分段，把大块整段的信息分割为各个小段；
- ❑ 显著标记每个信息段和子段，以便清晰地确认各自的内容；
- ❑ 以一个层次结构来展示各段及其子段，使得上层的段能够比下层更重点地被展示。

当用户查看信息时，视觉层次能够让人从与其目标不相关的内容中立刻区分出与其目标更相关的内容，并将注意力放在他们所关心的信息上。因为他们能够轻松地跳过不相关的信息，所以能更快地找到要找的东西。

你可以自己试试看。试在图 3-11 所示的两种信息显示方式中，找出关于"显著程度"的信息。在非层次化的呈现方式中你需要多耗掉多少时间才能找到？

构建清晰的视觉层次

    用尺寸大小、显著程度和内容关联对页面内容进行组织和排序。让我们更仔细地看看这些关系。一个标题越重要，用的字体尺寸也就越大。粗大的标题能够抓住用户在浏览网页时的注意力。一个标题或者内容越重要，就该摆在页面中越高的位置。最重要或者最时髦的内容应该总是被显著地摆在靠近页面顶端的位置，这样用户不用下拉就能看到。通过将内容以类似的视觉风格或者在清晰设定的区间展示，对相似的内容类型分组。

构建清晰的视觉层次

用尺寸大小、显著程度和内容关联对页面内容进行组织和排序

让我们更仔细地看看这些关系：

- ❑ **尺寸大小** 一个标题越重要，用的字体尺寸也就越大。粗大的标题能够抓住用户在浏览网页时的注意力。
- ❑ **显著程度** 一个标题或者内容越重要，就该摆在页面中越高的位置。最重要或者最时髦的内容应该总是被显著地摆在靠近页面顶端的位置，这样用户不用下拉就能看到。
- ❑ **内容关联** 通过将内容以类似的视觉风格或者在清晰设定的区间展示，对相似的内容类型分组。

图 3-11

分别在这两个关于信息展示的文字里找出关于"显著程度"的建议。大块连续的文字（左）逼迫人们读所有内容，可视化层次的方式（右）能让人们忽略与自己目标不相关的信息

    图 3-11 中的例子体现了视觉层次在文本、只读的信息展示中的价值。在交互控制面板和表单中，可视化层次也同样重要，甚至更重要。比较两个音乐软件产品的对话框（图 3-12）。Band-in-a-Box 的重校音对话框的可视化层次就比较糟糕，用户很难快速找到要找的设置，而 GarageBand 的 Audio/MIDI 的控制面板的视觉层次就很好，用户能很快找到感兴趣的设置。

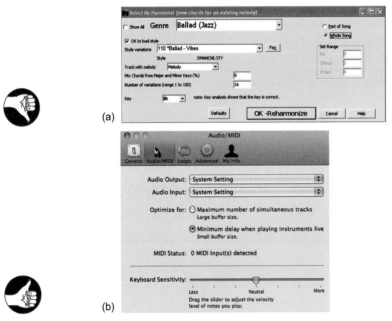

图 3-12

在交互控制面板和表单中，视觉层次能让用户很快找到设置。（a）Band in a Box（糟糕的设计），（b）Garage-Band（好的设计）

第 4 章

阅读不是自然的

在工业化国家里，大多数人在推崇教育和阅读的家庭和学区里长大。他们从孩童时就学习阅读，在青春期就成为良好或者优秀的阅读者。成年后，我们日常活动的大部分都涉及阅读。对受过教育的成年人，阅读这个把文字转换成有意义的内容的过程是自动的，使得我们的自主意识能够去思考我们所读到的内容和更深层的涵义。基于此，好的读者普遍认为阅读与说话一样是"自然"的人类活动。

我们的大脑是为语言而不是为阅读设计的

说话和理解口头语言是一个自然的人类活动，但阅读不是。在数十万年或许百万年里，人类大脑逐步进化出了口头语言所需的神经结构，其结果是普通人在幼童时期，不需要任何系统的训练就能够学会他所在环境下的语言。过了孩童早期，我们天生的口头语言学习能力明显下降。到了青春期，学习一门新语言对我们来说就像学习另外一项能力一样，需要指导和练习，而且负责语言学习和处理的脑区与孩童早期也不同（Sousa, 2005）。

相反，写作与阅读直到公元前几千年前才出现，而且到了四五百年前才普及起来，远远迟于人脑达到现代进化水平。在孩童时期，我们的大脑没有显示出任何特殊的天生的阅读能力。阅读其实是一种人造的、通过系统的指导和训练获得的能力，就像拉小提琴、玩杂耍或者读乐谱一样（Sousa, 2005）。

因为人的大脑没有设计成能够天生学习阅读，因此抚养人若不为儿童朗读，或者儿童在学校里没能获得适当的阅读指导，他们可能永远无法学会阅读。在教育落后的国家里，有许多这样的人。而相比来说，很少有人从来学不会一门口头语言的。

由于种种原因，学会了阅读的人们未必善于阅读，或许他们的父母不重视阅读，或许他们上的学校不规范甚至就根本没上过学，或许他们学习了第二门语言，但没能学会如何用这门语言进行良好的阅读。最后，有知觉或者感觉障碍（例如阅读障碍）的人可能永远无法成为良好的阅读者。

学习阅读就是训练我们的大脑（包括视觉系统）去识别模式。大脑要学习识别的这些模式有一个从低到高的层次。

❑ 线条、轮廓和形状是大脑先天能够识别的基本视觉特征。我们不必学习去识别它们。

❑ 基本的视觉特征结合形成模式，即我们认识的字符：字母、数字和其他标准符号。在如中文一类的表意文字里，符号代表了整个字或者概念。

❑ 在拼音文字里，字符形成的模式成为词素，我们把它们识别为一些小块的含义，例如，farm、tax、-ed 和 -ing 都是英语的词素。

❑ 词素合并形成我们所说的单词。例如，farm、tax、-ed 和 -ing 能被组成单词 farm、farmed、farming、tax、taxed 和 taxing。甚至在表意文字里也有作为词素或者起修饰作用的符号，它们不代表任何词或者概念。

❑ 单词组成我们所学的词组、成语和语句。

❑ 语句组成段落。

想知道没学过阅读的人看文字是什么样的，只要用你没学过的语言和文字打印出来的一段话看看就够了（见图 4-1a 和图 4-1b）。

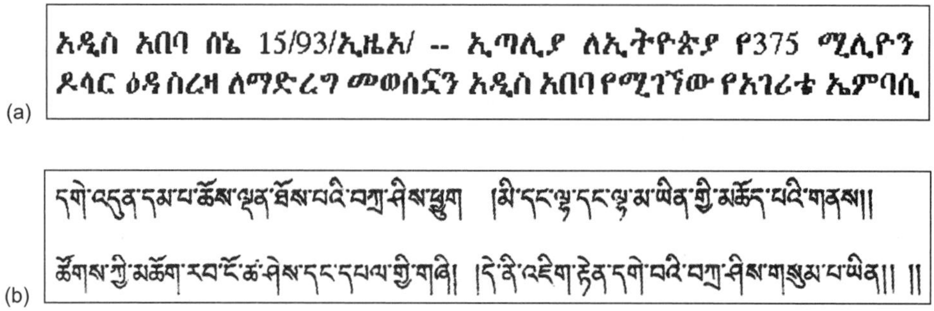

图 4-1
看看以外文书写的文字来体验文盲的感觉：（a）阿姆哈拉语（埃塞俄比亚官方语言），（b）藏语

另一种近似地体验文盲的办法是拿一张写着你熟悉的文字和语言的纸，比如这本书，上下颠倒后试着读接下来的几段文字。这个练习仅仅提供一种近似无法阅读的感觉。你会发现上下颠倒的文字一开始像外文一样无法阅读，但一分钟后你就能开始阅读了，虽然又慢又累。

阅读是特征驱动还是语境驱动

如之前所述，阅读涉及识别特征和模式。模式识别可以是自下而上、特征驱动的过程，也可以是自上而下的、语境驱动的过程，因此阅读也是如此。

在进行特征驱动的阅读时，视觉系统从辨别简单特征开始，比如纸张或者屏幕上某个方向的线段或者某个圆角的弧线，然后组合成更复杂的特征，比如夹角、多个弧线、形状和图案等。接着大脑再将某些形状识别为字符或者符号，它们代表了字母、数字或者在表意文字里的词。在拼音文字里，不同字母组被感知为词素和单词。所有的文字中，单词序列都被理解成带有含义的词组、句子和段落。

特征驱动的阅读有时被称为"自下而上的"或者"无语境的"。大脑天生具有识别线、边和角等基本特征的能力。相反，对词素、单词和短语的识别的能力就需要学习。从对字母、词素和单词进行非自动的、有意识的分析开始，经过足够的训练，这个过程就能够变为无意识的（Sousa，2005）。显然，词素、单词或者短语越常见，对它的识别也就越可能无意识。在像汉字这种拥有非常多倍的符号的表意文字里，人们往往需要更多年才能成为熟练的阅读者。

语境驱动或者自上而下的阅读与特征驱动阅读是并行的，但运作的方式却相反，语境驱动的阅读从完整的句子或者段落的主旨，到单词和字符。视觉系统从识别高层的模式（如单词、短语和句子）或者事先知晓文字的含义开始，接着利用对文字内容的事先了解去弄清楚或者猜测出高层模式的各个组成部分应该是什么（Boulton，2009）。语境驱动阅读较不可能完全成为无意识的，因为大部分短语层和语句层的模式和语境不可能出现得频繁到能够形成特定的神经触发的模式。但还是有些例外，比如习惯用语。

要体验语境驱动阅读，迅速扫视图 4-2，然后立刻将视线移回这里并读完这一段。现在就试试看。那上面写了什么？

The rain in Spain falls manly in the the plain

图 4-2
对这句话自上而下的"识别"可能阻碍对其实际内容的认识

现在再认真地看看那句话。你是用同样的方式阅读的吗？

几十年来，阅读被认为使用了特征驱动（自下而上）和语境驱动（自上而下）两种处理方式。除了能够通过分析字和词来搞清楚一句话的含义，人们还能够从知晓一句话的含义去判断其中的词，或者知道一个单词而判断其中的字母（见图 4-3）。问题是：熟练的阅读是以自下而上还是自上而下的方式为主？或者二者都不占支配地位？哪一种阅读方式更好？

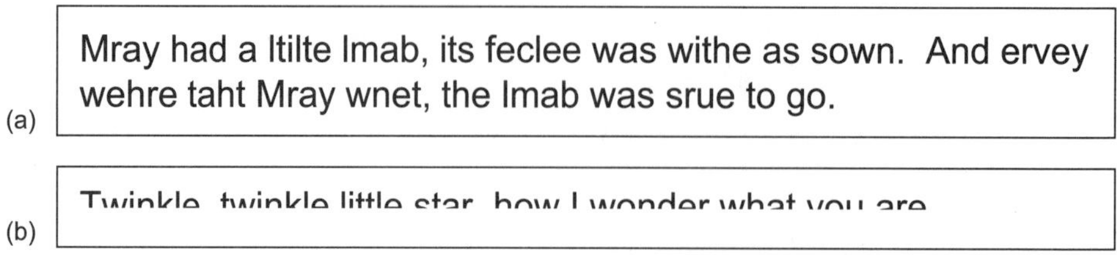

(a)
> Mray had a Itilte lmab, its feclee was withe as sown. And ervey wehre taht Mray wnet, the lmab was srue to go.

(b)
> Twinkle, twinkle little star, how I wonder what you are.

图 4-3
自上而下的阅读：大部分人，尤其是那些知道这些文字源自哪首歌曲的，都能够读懂这些文字，即使其中的单词
（a）除了首尾字母外全部打乱了顺序或者（b）大部分被遮盖住了

20 世纪 70 年代，教育研究者们在阅读上使用信息理论，并设想因书面语中存在冗余，自上而下、语境驱动的阅读应该比自下而上、特征驱动的阅读更快。这个设想导致他们做出一个假设，称使用语境阅读者在高度熟练（快速）的阅读者中占大多数。这个理论可能导致了七八十年代中涌现出的许多速读方法，据称这些方法能够训练人们快速接收整个短语和句子从而提高阅读速度。

然而，自那以后对阅读者所做的实证研究已经确切地证明了，事实恰恰与之前的理论所预测的相反。阅读研究者 Keith Stanovich 解释说：

……语境（是）重要的，对较差的阅读者更重要，因为他们无法进行无意识的无语境识别。

（摘自 Boulton，2009）

换句话说，最有效的阅读方式是无语境的、自下而上特征驱动的方式，这需要熟练掌握到无意识的程度。尽管与特征阅读是两个并行的阅读方式，但语境驱动阅读在如今主要被视为一种候补的方法，只有在特征驱动阅读存在困难或者不能达到足够无意识的时候才起作用。

熟练的读者也许会在基于特征的阅读被糟糕的信息展示方式干扰时转向基于语境的阅读（见本章稍后的例子）。还有，在使用这两种阅读方式去解读看到的文字时，语境中的暗示有时比特征更有优势。作为一个基于语境阅读的例子，到英国旅游的美国人有时会将 "To Let" 标志看成 "Toilet"，因为在美国他们更经常看到 "Toilet"，但几乎从来没有见过 "To Let" 这个短语，他们平时使用对应的短语是 "For Rent"。

对于较不熟练的阅读者，基于特征阅读不是无意识的，而是有意识的、费劲的。因此，他们大部分的阅读使用基于语境的方式。这种不得已的基于语境的阅读和非无意识的基于特征的阅读消耗了短期感知能力，导致对内容缺少理解[①]。他们不得不把注意力放在解读一串串单词

---

① 第 10 章描述了无意识的和受控的认知处理。为当前讨论考虑，我们仅简单地陈述为受控的处理会增加工作记忆的压力，而无意识处理不会。

上，导致没有更多精力构建语句和段落的含义。这就是为什么差的阅读者可以大声读完一段文字，却不清楚究竟读了什么。

为什么无语境（自下而上）的阅读在某些成年人中无法无意识呢？有些人在儿童期没能获得足够的阅读经验，让特征驱动的识别过程变成无意识的，他们长大后就觉得阅读在精神上是费劲和压力重重的，因此也就避免阅读，这持续加剧了他们在阅读能力上的不足。

熟练阅读和不熟练阅读使用大脑的不同部位

在 20 世纪 80 年代以前，想要理解语言和阅读涉及大脑的哪些不同部位，研究者们只能主要依靠研究大脑受伤的人。比如在 19 世纪中期，医生们发现在左太阳穴附近（现在以发现它的医生的名字命名为 Broca 区的部位）受伤的人在听力理解上没有问题，但说话会有问题，而在靠近左耳后方的大脑部位（现在被称为 Wernicke 区）受伤的人却有听力理解困难（Sousa, 2005）（见图 4-4）。

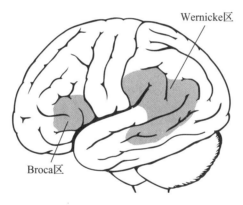

图 4-4
人的大脑，标出了 Broca 区和 Wernicke 区

近几十年来，出现了一些用来观察活体中的大脑如何运作的新技术，以及基于电脑的分析技术而优化的非侵入式扫描技术，如脑电图（EEG）、功能性磁共振成像（fMRI）和功能性磁共振频谱（fMRS）。这些技术能够让研究者们观察人体在接收不同刺激和执行具体任务时，大脑中不同部位的反应和这些反应的顺序。

利用这些技术，研究者们发现了初学的和熟练的阅读者在阅读时用到的神经通路是不一样的。当然，不论阅读者的能力高低，阅读时第一个反应区域是处于大脑后方的枕叶皮层（视觉皮层）。之后，神经通路就不一样了（Sousa, 2005）。

❑ **初级阅读者**　首先，位于 Wernicke 区上方靠后的区域被激活。研究者现在将其视为单词（至少在拼音文字如英语和德语中）被"发音"和组合的地方，即字母被分析后对应到各自的发音。然后由单词分析区域传递给 Broca 区和大脑额叶，大脑额叶再负责词素与单词的识别和整体含义的获取。对表意文字来说，符号代表了整个字且通常有一个对应的图像代表其含义，因此字词的发音并不是阅读的一部分。

❑ **高级阅读者**　单词分析区域被跳过了。枕颞区（位于耳后，距离视觉皮层不远）被激活。目前普遍的观点是这个区域负责将单词识别为一个整体，不需要发音，然后激活通往大脑前端负责单词含义和心理成像的部分。Broca 区仅仅是稍微参与了这部分的神经活动。

大脑扫描技术带来的发现当然无法指出使用了哪种处理方式，但的确支持了高级阅读者和初级阅读者使用不同处理方式的理论。

糟糕的信息设计会影响阅读

糟糕的书写或者显示会将熟练阅读者无意识的无语境的阅读降低为有意识的基于语境的阅读，增加记忆负担，从而降低阅读速度和理解能力。对于非熟练的阅读者，糟糕的文字显示可能会完全阻碍阅读。

不常见和不熟悉的词汇

软件中阻碍阅读的常见方式之一是使用用户不熟悉的词汇——那些读者不熟知或者根本不知道的单词。

一类不熟悉的词汇是计算机术语，有时被称为"电脑玩家用语"。例如，一个企业内部应用程序在用户闲置 15 分钟后再次试图使用时会显示如下错误消息：

你的会话已经过期。请重新认证。

这个应用程序是用来查找公司内部资源（房间和设备等）的，其用户包含前台、会计、经理以及工程师。大部分非技术用户并不理解"重新认证"的意思，于是就退出无意识阅读状态，想知道这个错误消息所传达的内容。为了避免干扰阅读，这个程序的开发人员可以使用人们更为熟悉的指令"登录"。第 11 章有关于"电脑玩家用语"在基于计算机的系统里如何影响学习的讨论。

阅读也可能被不常见的词汇干扰，即使不是纯计算机技术术语。下面是一些少见的英语单词，其中有不少主要只在合同、隐私条款声明或者其他法律文档里出现。

- aforementioned：上述的。
- bailiwick：一个警长拥有的执法区域，辖区，更笼统的说法是控制领域。
- disclaim：免责，否认。
- heretofore：迄今为止。
- jurisprudence：法学。
- obfuscate：模糊、混淆。
- penultimate：倒数第二，如“在本书的倒数第二章中”。

即使是熟练的阅读者在遇到这样的词汇时，无意识阅读过程多半也不能识别它们。实际上，他们的大脑需要使用非无意识的处理方式，比如利用单词各个部分的发音，或者利用单词出现的语境，或者查找词典来搞清楚单词的意思。

难以辨认的书写和字型

即使使用了熟悉的词汇，阅读还会被难以辨认的书写和字型干扰。自下而上、无语境、无意识的阅读是对字母和单词基于视觉特征的识别。因此，一种具有难以辨认的特征和形状的字型就很难阅读。比如，试着阅读以下用空心轮廓线的全大写字型显示的林肯的盖提斯堡演讲的部分文字（见图 4-5）。

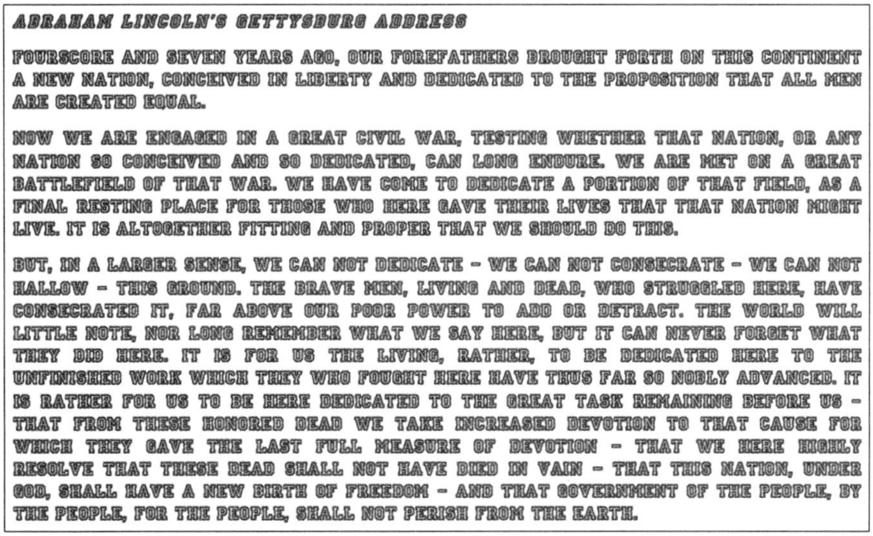
ABRAHAM LINCOLN'S GETTYSBURG ADDRESS

FOURSCORE AND SEVEN YEARS AGO, OUR FOREFATHERS BROUGHT FORTH ON THIS CONTINENT A NEW NATION, CONCEIVED IN LIBERTY AND DEDICATED TO THE PROPOSITION THAT ALL MEN ARE CREATED EQUAL.

NOW WE ARE ENGAGED IN A GREAT CIVIL WAR, TESTING WHETHER THAT NATION, OR ANY NATION SO CONCEIVED AND SO DEDICATED, CAN LONG ENDURE. WE ARE MET ON A GREAT BATTLEFIELD OF THAT WAR. WE HAVE COME TO DEDICATE A PORTION OF THAT FIELD, AS A FINAL RESTING PLACE FOR THOSE WHO HERE GAVE THEIR LIVES THAT THAT NATION MIGHT LIVE. IT IS ALTOGETHER FITTING AND PROPER THAT WE SHOULD DO THIS.

BUT, IN A LARGER SENSE, WE CAN NOT DEDICATE – WE CAN NOT CONSECRATE – WE CAN NOT HALLOW – THIS GROUND. THE BRAVE MEN, LIVING AND DEAD, WHO STRUGGLED HERE, HAVE CONSECRATED IT, FAR ABOVE OUR POOR POWER TO ADD OR DETRACT. THE WORLD WILL LITTLE NOTE, NOR LONG REMEMBER WHAT WE SAY HERE, BUT IT CAN NEVER FORGET WHAT THEY DID HERE. IT IS FOR US THE LIVING, RATHER, TO BE DEDICATED HERE TO THE UNFINISHED WORK WHICH THEY WHO FOUGHT HERE HAVE THUS FAR SO NOBLY ADVANCED. IT IS RATHER FOR US TO BE HERE DEDICATED TO THE GREAT TASK REMAINING BEFORE US – THAT FROM THESE HONORED DEAD WE TAKE INCREASED DEVOTION TO THAT CAUSE FOR WHICH THEY GAVE THE LAST FULL MEASURE OF DEVOTION – THAT WE HERE HIGHLY RESOLVE THAT THESE DEAD SHALL NOT HAVE DIED IN VAIN – THAT THIS NATION, UNDER GOD, SHALL HAVE A NEW BIRTH OF FREEDOM – AND THAT GOVERNMENT OF THE PEOPLE, BY THE PEOPLE, FOR THE PEOPLE, SHALL NOT PERISH FROM THE EARTH.

图 4-5
全部用大写的文字很难阅读，因为字母看起来都很相似。空心轮廓线的字型让特征识别更加困难。这个例子展示了这两点

微小的字体

另一种在应用软件、网站和电子产品中使文字难以阅读的情况是，使用对目标用户的视觉系统来说小到难以识别的字体。例如，试着阅读以下用 7 磅字体显示的美国宪法第一段（见图 4-6）。

> We the people of the United States, in Order to form a more perfect Union, establish Justice, insure domestic Tranquility, provide for the common defense, promote the general Welfare, and secure the Blessings of Liberty to ourselves and our Posterity, do ordain and establish this Constitution for the United States of America.

图 4-6
美国宪法第一段，用 7 磅字体显示

软件开发者有时会使用非常小的字体，因为他们需要在很小的空间里显示很多文字。但如果系统的目标用户无法阅读这些文字，或者阅读起来非常费劲，文字还不如不要。

嘈杂背景下的文字

文字中和周围的视觉噪声能够干扰对特征、字符和单词的识别，使我们退出基于特征的无意识阅读模式，而进入有意识的基于语境的阅读模式。在软件的用户界面和网站中，视觉噪声经常来自于设计师将文字放在有图案的背景上，或者正文和背景的反差太小，就像 RedTele.com 上的一个例子（见图 4-7）。

Hero Amps
Hero Amps is the direct result of two Colorado Springs guitar players in search of the perfect tones. The tones needed by today's musicians. Given our technical backgrounds, this product is the result of three years of research and development in pursuit of the ultimate guitar amplifier. Our goal is to build solid, great sounding amplifiers. Amps built using quality parts and construction with the features player want and need. Legends are made with a Hero!

图 4-7
RedTele.com：嘈杂的背景和糟糕的正文与背景的颜色反差

有些情况下，设计者有意让文字难以阅读。比如，一个网络上常见的安全措施是让用户辨别变形的文字，以将他们与网络爬虫区分开。这有赖于大部分人能够读出文字而网络爬虫目前还做不到。使用难识别的文字来测试一个用户是否是人的手段叫做 captcha[1]（见图 4-8）。

Type the characters you see in the picture above.

图 4-8
Captchas：故意让文字显示在带视觉噪声的背景上，使得网络爬虫无法识别

---

[1] 这个词最初从单词 "capture" 而来，但也被传为是英文 Completely Automated Public Turing test to tell Computers and Humans Apart（完全自动、公开的图灵测试以区分电脑和人类）的首字母缩写——来自维基百科上的 "captcha" 词条。

当然，在用户界面上显示的大部分文字应该是容易阅读的。带图案的背景即使不是非常抢眼，也能干扰人们阅读置于其上的文字。例如，联邦储备银行的网站曾经有个按揭计算器，它被放置于一个重复平铺的家和社区主题图片的背景上。虽然出发点是好的，但起装饰作用的背景使得计算器难以看清（见图 4-9）。后来，联邦储备银行为增加功能而重新设计了这个计算器，这个华丽的背景也被撤掉了（见图 4-10）。

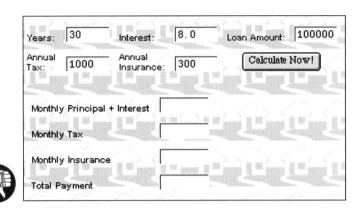

图 4-9
联邦储备银行的在线按揭计算器曾将文字放在带图案的背景上

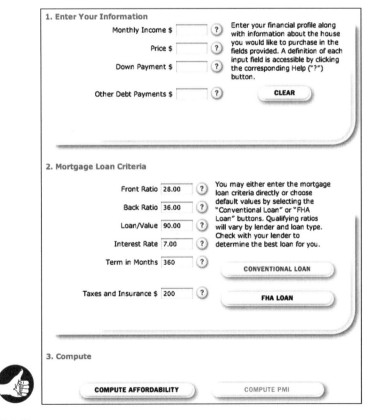

图 4-10
联邦储备银行网站上的新按揭计算器，把文本展示在了白色的背景上

信息被重复的内容淹没

视觉噪声也能来自文字本身。如果连续多行文字里有许多重复内容，读者接收到的相关反馈就太少，不知道自己正在读哪一行。另外，这也让人很难从中提取出重要的信息。例如，回顾一下前一章中加利福尼亚州机动车管理局的网站（见图 3-2）。

另一个说明重复内容制造噪声的例子是 Apple.com 的电脑商店。订购笔记本电脑的页面上用非常重复的方式列出了不同的键盘选项，使人很难发觉键盘之间的核心差别其实是它们所支持的语言（见图 4-11）。

Keyboard and Documentation
Configure your MacBook with the following keyboard language options along with the language of the included user documentation.

- ● Backlit Keyboard (English) / User's Guide
- ○ Backlit Keyboard (Western Spanish) / User's Guide
- ○ Backlit Keyboard (French) / User's Guide
- ○ Backlit Keyboard (Japanese) / User's Guide

图 4-11
Apple.com 的"购买电脑"的页面所列出的选项，其中重要信息（键盘语言兼容性）被淹没在重复的文字中

居中对齐的文字

在大部分熟练阅读者的阅读过程中，高度无意识的一方面就是眼动。当自动（快速）阅读时，我们的视线被训练成回到同样的水平位置，同时向下移一行。如果文字是居中或者右对齐，每行的水平起始位置就不一样了。自动眼动因此会将我们的视线带到错误的位置，我们就必须有意识地去调整视线到每行的实际起始位置。这使得我们不得不退出无意识状态，阅读速度一下就慢下来。诗歌和婚礼请柬上的文字居中对齐或许是可以的，但对于任何其他类型的文字，居中就是缺点了。

文字居中对齐的一个例子是一家叫做 FargoHomes 房地产公司的网站（见图 4-12）。试着快速读上面的文字，看看自己的眼球是如何移动的。

这个网站也居中对齐了有序号的列表，很大程序上破坏了读者的无意识眼动（见图 4-13）。请试着快速浏览这个列表。

Exclusive Buyer Agency Offer

(No Cost) Service to Home Buyers!

Dan and Lida *want to work for you* *__if:__*

··

Would you like to avoid sellers agents who are pushing, selling, and trying to make sales quotas?

Do you want your agent to **be on your side** and **not** the sellers side?

Do you expect your agent to be responsible **and professional....?**

If you don't like to have **your time wasted,** Dan and Lida *want to work for you....*

If you understand that everything we say and do, is to save you time, money, and keep you out of trouble....

-and if you understand that some agents income and allegiances are in direct competition with your best interests....

-and if you understand that we take risks, give you 24/7 access, and put aside other paying business for you...

-and if you understand that we have a vested interest in helping you learn to make all the right choices...

- then, call us now, because Dan and Lida *want to work for you!!*

图 4-12

FargoHomes.com 将文字居中对齐，无意识的眼动模式被破坏了

B U Y E R ' S **!** *MORE* Searches H E R E

······if you don't have a Realtor click Here

1. Search All The Fargo Moorhead Listings CLICK HERE Step One (Very Important).... if you don't have a Realtor click Here

Dream Home Finder request form: *All area Best listings from Top Area Realtors*

for Fargo, Moorhead, and FM Area real estate. Moorhead homes. Moorhead Real Estate. West Fargo homes and West Fargo Real Estate

2. Todays **HOT SHEET** Click Here; New Listings in Fargo, Moorhead area

3. Rural Minnesota... Featured Listings

4. Multiple Listing Number search Click Here

5. http://www.fargoMLS.com - Blog - MLS "Value of the Day"

6. Eid - Co Builders - Access to Models,
New Developments in Fargo, West Fargo, Moorhead, and Dilworth,
and Floor Plan Options Click Here

6b - New "Heritage Homes" - Available Properties

Minnesota Lake and River Property
Detroit Lakes Resorts, Lots, and Cabins Search
with Tom Ackman, Coldwell Banker At The Lakes
Detroit Lakes Find-A-Listing - Search Here

图 4-13

FargoHomes.com 将列表居中对齐，无意识的眼动模式被破坏了

妨碍阅读的设计缺陷的组合

另一家房地产公司 Keller Williams 的网站结合了之前描述的妨碍阅读的多个错误。在一些地方，前景和背景的反差太小，而另一些地方，反差又太大，比如蓝色文字放在红色背景上，造成了令人讨厌的视觉干扰。大段的文字居中对齐，而且将文字放在有图案的背景上。以上所有这些综合起来使得这个网站阅读起来非常困难（见图 4-14）。

图 4-14
Keller Williams 的网站存在好几个使文字难以阅读的问题

对设计的启示：支持，而不是干扰阅读

显然，一个设计者的目标应该是支持，而不是干扰阅读。熟练（快速）的阅读大部分基于对特征、字母和单词的无意识识别。识别越容易，阅读也就越快、越容易。相反，非熟练的阅读极需要语境提示的帮助。

交互系统的设计者可以遵循以下准则来为阅读提供支持。

❑ 保证用户界面里的文字允许基于特征的无意识处理有效地进行，可以通过避免之前描述的破坏性缺陷做到。这些缺陷包括难辨认的或太小的字体、带图案的背景和居中对齐等。

❑ 使用有限的、高度一致的词汇，在业界这有时被称为"直白的语言"[①]或者"简单的语言"（Redish, 2007）。

❑ 将文字格式设计出视觉层次（参考第 3 章），以便使浏览更轻松，如使用标题、列表、表格和视觉上加强了的单词（见图 4-15）。

在保证文字的显示方式能够支持轻松浏览和阅读方面，有经验的信息架构师、内容编辑和图形设计师能够发挥很大作用。

---

① 要了解更多关于直白语言的信息，请参见美国政府网站 www.plainlanguage.gov。

图 4-15
微软公司的 Word 的帮助主页是很容易浏览和阅读的

软件里要求的阅读很多都是不必要的

除了会犯影响阅读的设计错误外，很多软件的用户界面还显示了太多的文字，用户要读的远远超过实际所需要的。看看 SmartDraw 这款软件中设置文字输入属性的对话框中有多少不必要的文字（见图 4-16）。

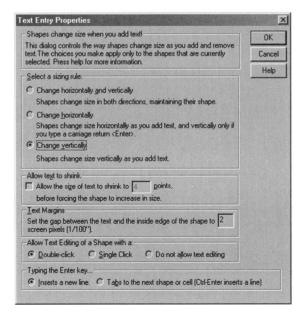

图 4-16
SmartDraw 的文字输入属性对话框，相对其简单的功能，文字显示太多了

软件设计者经常如此为冗长的指令文字辩护："我们需要所有那些文字来清楚地向用户解释做什么。"然而，指令经常可以短小精悍且保持清晰明确。让我们看看 Jeep 公司在 2002~2007 年是如何缩短寻找本地 Jeep 经销商的指令的（见图 4-17）。

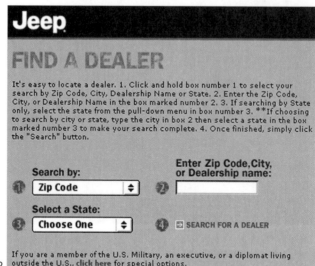

 2002

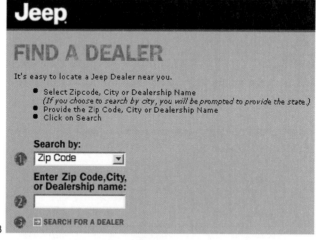

 2003

 2007

图 4-17

在 2002~2007 年，Jeep.com 极大减少了"寻找经销商"所需要的阅读量

- ☐ 2002："寻找经销商"页面显示一大段带有分步骤的指令文字，以及一个要求输入较多信息的表单。

- ☐ 2003：该页面被简化为三项内容，而且表单要求的输入信息也减少了。

- ☐ 2007：该页面被简化成首页上的一个输入项（邮政编码）和一个 Go 按钮。

甚至当文字的内容不是指令而是产品描述时，将厂家想要说的全部洋洋洒洒地写出来，让人从头到尾看一遍的做法也只会起反作用。大部分潜在客户不可能也不愿意去读这些文字。比较一下 Costco.com 在 2007 年和 2009 年对笔记本电脑的描述（见图 4-18）。

Customize the HP Pavilion dv2000t Entertainment Notebook PC

Choose a versatile PC that has it all brains, brawn and beauty plus the latest mobile technology. This fun and powerful PC packs a punch when it comes to digital entertainment. Watch DVDs wherever you are on an HD-capable (1), 14.1 inch widescreen display that features HP BrightView technology. Immerse yourself in sound with a built-in Altec Lansing speaker system. Take the show with you on your commute or while traveling two jacks for stereo headphones and a widescreen display make it easy to share with a friend. Get instant gratification with one-touch access to the movies, music and photos you want without having to boot the entire system with HP QuickPlay (2). Stay connected wherever there's a wireless (3) network, using built-in WiFi, a long-life battery and breakthrough Intel(R) Centrino (R) Duo (4) mobile technology. Stay in touch while on the go the optional, built-in HP Pavilion Webcam includes two integrated microphones for video conferencing (3) and VoIP (4). Surf the Net (3) and chat with friends while downloading music and videos a powerful Intel(R) Core(TM) Duo processor (4) lets you multitask. Take it with you everywhere this sleek PC features HP's Imprint smooth and glossy coating finish with a fresh, inlaid design. (1) High-Definition content (e.g. WMV HD files) is required to view high-definition images. Most current DVDs do not provide high-definition images. (2) Approximately 1024MB of the hard drive is dedicated for HP QuickPlay and will not be user accessible. (3) Wireless access point required and is not included. Availability of public wireless access points limited. Wireless Internet use requires separately purchased Internet service contract. (4) Requires separately purchased Internet and VOIP service contracts. (4) Dual Core is a new technology designed to improve performance of certain software products. Check with the software provider to determine suitability. Not all customers or software applications will necessarily benefit from use of this technology.

2007

Customize the HP Pavilion dv6t Entertainment PC

The HP Pavilion dv6t notebook computer is the mid-size notebook where exquisite design meets powerful entertainment for TV, photos, movies, music and more - striking an ideal balance between mobility, size and visual performance. *Please refer to Help Me Decide for important information.

2009

图 4-18
在 2007 年和 2009 年，Costco.com 极大地减少了产品描述中的文字

对设计的启示：尽量少让人阅读

在用户界面里提供太多文字会失去阅读欲望较低的读者，不幸的是这类读者的比例很高。太多文字甚至让优秀的读者也感到疏远，把使用互动系统变得令人望而生畏。

　　将用户界面里的文字量尽可能减少，不要让用户看一大版面的文字。在用户指导手册里，使用最少的文字让用户完成目标。在产品描述中，提供简要的产品综述，在用户提出具体需求时再提供详细的内容。技术文档作者和内容编辑在这点上能够提供很大的帮助。关于更多如何消除冗余文字的建议，可参考 Krug（2005）和 Redish（2007）。

对真实用户的测试

　　最后，设计者应该将设计在目标用户群中测试，从而确信用户能够快速轻松地阅读所有重要信息。利用原型和部分实现，一些测试可以在早期就做，但在发布之前仍需测试。幸运的是，对字体和格式做最后一分钟的修改通常还是容易的。

第 5 章

色觉是有限的

人类的色彩感知既有强处也有限制，其中不少与用户界面设计相关。

❑ 我们的视觉是为检测反差（边缘）优化的，而不是绝对亮度。
❑ 我们辨别颜色的能力依赖于颜色是如何呈现的。
❑ 有些人是色盲。
❑ 用户的屏幕和观看条件会影响对颜色的感知。

要理解人类色觉的这些特点，我们首先简单描述一下人类视觉系统如何处理环境中的颜色信息。

色觉是如何工作的

如果你在学校上过心理学或者神经生理学的课程，或许你已经知道了眼睛内的视网膜（也就是眼球里聚焦成像的表面）有两类感光细胞：视杆细胞和视椎细胞。你或许也了解了视杆细胞察觉光线强度但感觉不到颜色，而视椎细胞能察觉颜色。最后，你或许还知道有三类视椎细胞，分别对红色、绿色和蓝色光敏感，这意味着我们的色觉与摄影机和计算机显示器类似，通过红色、绿色和蓝色像素的组合来探测形成多种颜色。

你们在学校里学到的知识只有部分正确。视网膜的确有对亮度敏感的视杆细胞和三种对不同频率的光敏感的视椎细胞。然而，在学校里学到的知识还要结合实践。

首先，处于工业化社会中的我们几乎用不到视杆细胞，它们只在低亮度下工作。在光线很暗的环境中，如 19 世纪前我们祖先所生活的环境中，它们才起作用。今天，我们只有在烛光晚餐、夜里在黑暗屋子周围摸索、夜晚在外宿营等情况下才用到视杆细胞。在明亮的白天和人工照明环境（我们在此打发的时间最多）下，视杆细胞则完全过曝了，不能提供任何有用信息。大部分时间里，我们的视觉完全基于视椎细胞所提供的信息（Ware, 2008）。

那么视椎细胞是如何工作的？三种视椎细胞分别对红色、绿色和蓝色光敏感吗？事实上，每种视椎细胞敏感的光谱比你想象的还要广，而且三者的敏感范围是互相重叠的。此外，这三类视椎细胞的敏感度相差非常大（图 5-1a）。

- **低频** 这些视椎细胞对整个可见光频谱都敏感，但对处于频谱中间的黄色和低频的红色最敏感。
- **中频** 这些视椎细胞对从高频的蓝色到中频偏低的黄色和橙色有反应，但在整体上，它们的敏感度低于低频的视椎细胞。
- **高频** 这些视椎细胞对可见光的高频部分（紫色和蓝色）最敏感，但对中频（如绿色）的敏感度较低。此类视椎细胞的整体敏感度较前两者都低，数量上也更少。因此，我们的眼睛对蓝色和紫色不如对其他颜色敏感。

可以比较下面两张图。图 5-1a 为视网膜上视椎细胞对光的敏感度，图 5-1b 为电子工程师设计的对红色、绿色和蓝色敏感的光感受器的敏感度。

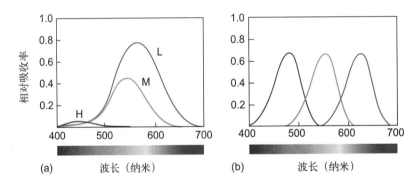

图 5-1
视网膜三类视椎细胞对光的敏感度（a），对比人造红色、绿色和蓝色光感受器对光的敏感度（b）

在了解了我们视网膜上的这三类视椎细胞敏感度的奇怪关系后，我们就会对大脑如何综合从它们传来的信号从而能看到各种颜色而感到好奇了。

答案就是：做减法。大脑后部视皮层上的神经元将通过视神经传递来的中频和低频视椎细胞的信号去掉，得到一个"红-绿"减影信号通道。其他神经元将来自高频和低频视椎细胞的信号去掉，得到一个"黄-蓝"减影信号通道。第三组神经元将来自低频和中频视椎细胞的信号相加产生一个整体的亮度（或者叫"黑-白"）信号通道。这三个通道叫做颜色对抗通道。

接下来大脑对所有颜色对抗通道做更多的减法处理：来自视网膜上某个区域的信号将被从来自其附近区域的类似信号中减掉。

视觉是为边缘反差而不是为亮度优化的

所有这些减法处理使得我们的视觉系统对颜色和亮度的差别，即对比鲜明的边缘，比对绝对的亮度水平要敏感得多。

为验证这一点，请看一看图 5-2 中两个绿色的圆圈。这两个圆圈中绿色的亮度完全相同（右边的圆圈是从左边复制过来的），但它们不同的背景导致了我们对对比度敏感的视觉系统会觉得左边的绿色圆圈稍暗一些。

图 5-2
因为背景不同，两个圆形看起来深浅不同，但其实它们是一样的

对对比度敏感而不是对绝对亮度敏感是人类的一个优势，这样我们原始社会的祖先无论是在阳光普照的晌午，还是在阴云密布的清晨，都能分辨出躲在附近灌木丛中的豹以及其他类似的危险动物。同样，对颜色对比度而不是对绝对色彩敏感，会让我们觉得阳光下和阴影里的玫瑰花都一样红。

大脑研究者 Edward H. Adelson 在麻省理工学院做了一个非常出色的图解，来说明我们的视觉系统对绝对亮度不敏感而对反差敏感（见图 5-3）。难以置信的是，棋盘上的方块 A 与方块 B 同样深浅。方块 B 看起来是白色的，是因为它处于圆柱体的阴影之下。

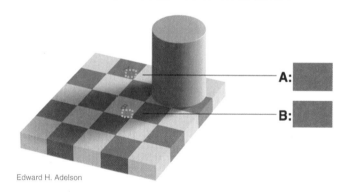

Edward H. Adelson

图 5-3
标记的 A 和 B 方块是同一种灰色，但我们觉得 B 是白色的，因为它在"影子"里

区别颜色的能力取决于颜色是如何呈现的

我们对颜色之间差别的察觉甚至也是有限的。基于我们视觉系统运作的方式，有以下三个

呈现因素影响了我们区分颜色的能力。

- ❑ **深浅度**：两个颜色越浅（不饱和），就越难将它们区分开（见图 5-4a）。
- ❑ **色块的大小**：对象越小或者越细，就越难辨别它们的颜色（见图 5-4b）。
- ❑ **分隔的距离**：两个色块之间离得越远，就越难区分它们的颜色，尤其是当它们之间的距离大到看它们时眼球需要运动（图 5-4c）。

(a)　　　　　(b)　　　　　(c)

图 5-4
影响到区别不同颜色的能力的因素：(a) 深浅，(b) 大小，(c) 分隔的距离

几年前，在线旅游网站 ITN.net 使用了两个浅色（白色和浅黄色）来标示用户在预定流程中正处于哪个步骤（见图 5-5）。有些用户就没法看到。

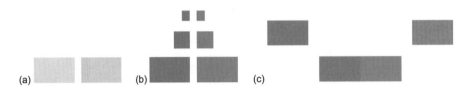

图 5-5
ITN.net（2003 年）：用浅色标记当前所在步骤，导致用户很难看清自己处在航班预定流程中的哪一步上

在数据图表中经常能看到小的色块。许多商业制图软件会在图表旁边生成图例，但图例中的色块非常小（见图 5-6）。图例中的色块应该大到能帮助用户辨别不同的颜色（见图 5-7）。

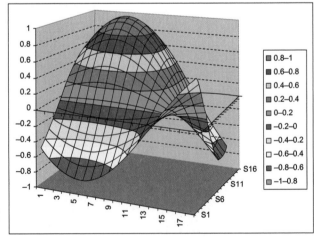

图 5-6
图例中小色块很难被区分

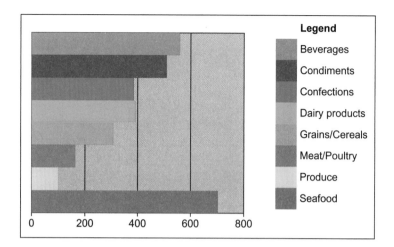

图 5-7

图例中使用大色块就容易区分不同颜色

网站上常常用颜色来区别访问过和未访问过的链接。在某些网站上，二者的颜色太接近了。明尼阿波利斯市的联邦储备银行的网站（见图 5-8）就有这样的问题。此外，它用的两种颜色是深浅不同的蓝色，而蓝色是人眼最不敏感的颜色。你能找到那两个访问过的链接吗？（答案见脚注。）

- Housing Units Authorized, Percent Change October 2005 Year-to-Date Compared With a Year Earlier
- Electricity Consumption per Capita, 2001
- Drinking and Wastewater Needs per Capita, 2003 Dollars
- Manufactured Homes as a Percent of Total Homes, 2000
- Percent of Occupied Housing Units That Are Owner Occupied
- Percent Change in Private Employment Due to Growth/Decline in Establishments, 2000-2001
- Labor-Force Participation Rate, 2002
- Number of Bank Offices per 10,000 People, 2003
- Total Foreign-Born, 2000
- Retail Gasoline Prices, May 17, 2004
- Total Manufactured Exports per Capita, 2003
- House Price Index, Percent Change-Third Quarter 2002 to Third Quarter 2003
- State and Local Government Per Capita General Fund Expenditure, 1977-2000

图 5-8

MinneapolisFed.org：访问过和未访问过的链接在颜色上的差别太细微了[①]

色盲

在颜色呈现上影响交互系统设计准则的第四个因素是，使用的颜色是否能够被常见类型的

---

① 图 5-8 中已访问的链接是：Housing Units Authorized 和 House Price Index。

色盲用户区分开。色盲并不意味着看不到颜色，而只是一个或者多个色彩减影通道（见上文）无法正常工作，以致不能区分某些颜色对。大约 8% 的男性和稍低于 0.5% 的女性有颜色感知障碍，[1]难以区分某些颜色对（Wolfmaier, 1999）。最常见的色盲是红绿色盲，其他色盲比较少见。图 5-9 展示了红绿色盲的人难以区分的几对颜色。

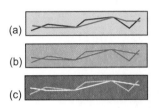

图 5-9

红绿色盲者无法区分：（a）深红色和黑色（b）蓝色和紫色（c）浅绿色和白色

家庭金融软件 MoneyDance 提供了家庭支出分解的图表，用不同颜色来标记不同类别的消费（见图 5-10）。不幸的是，其中许多颜色是色盲人士无法区分的色相。例如红绿色盲的人无法区分蓝色和紫色，或者绿色和卡其色。如果你不是色盲，可以将图像转换为灰度图，来了解图上哪些颜色是难以区分的（见图 5-11）。

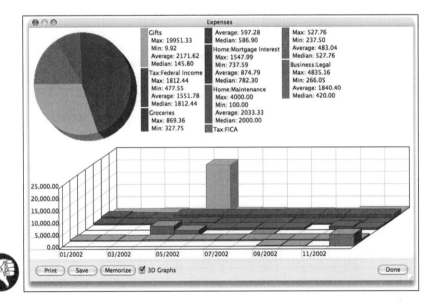

图 5-10

MoneyDance：图表使用了某些用户无法区分的颜色

---

[1] 常用的术语是"色盲"，但"颜色视觉障碍"、"视觉不健全"、"视觉缺陷"、"色混"和"色弱"更准确。"颜色残疾"也有使用。完全看不到颜色的极少。

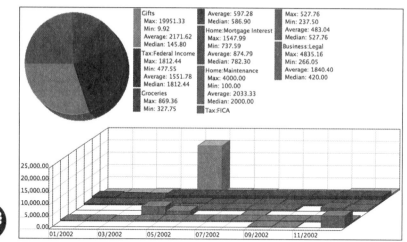

图 5-11
MoneyDance：转换为灰度图后的图表

影响色彩区分能力的外部因素

外部环境因素也能影响人们分辨色彩的能力，例如以下一些因素。

- **彩色显示屏的差异**　电脑显示屏因各自采用的技术、驱动程序或者色彩设置的不同，在色彩显示上存在差异。即使是采用同样设置的同一型号的显示器，在色彩显示上也会有轻微的不同。在一台显示器上看起来是黄色的东西，在另一台上看起来可能就是米黄色。而在一台显示器上看起来明显不同的颜色，在另一台上看起来也许就是相同的。
- **灰度显示器**　虽然大部分显示器是彩色的，但还是有些设备，尤其是小型手持设备，采用了灰度显示器。图 5-11 展示了在灰度显示器上一些原本颜色不同的区域看起来是相同的。
- **显示器角度**　一些电脑显示器，尤其是液晶显示器，在直视角度观看要比偏一定角度看时效果好得多。当从一定角度观看液晶屏时，色彩以及色彩之间差别都会发生变化。
- **环境光线**　照射在屏幕上的强光会在将明暗区域的差别"冲洗"掉之前先将色彩"冲洗"掉，将彩色屏变成灰度屏，在阳光直射下使用过银行自动柜员机的人都体会过这种情况。办公室里的眩光和百叶窗的影子都能使颜色看起来不一样。

这四种外部因素通常都不是软件设计者能控制的。因此，设计者们应记住他们并不对用户的观看体验具有完全的控制。在普通办公室照明条件下，用开发环境里的电脑显示器看到的高度可辨识的色彩，在软件的其他使用环境里就未必能够分辨得出来。

使用色彩的准则

在依赖颜色来传递信息的交互软件系统中，遵循以下 5 条准则，以保证用户能够获取信息。

(1) 用饱和度、亮度以及色相来区分颜色。避免采用轻微的差别。确保色彩之间有较高的反差（但要参考准则 5）。一个测试颜色差异的办法是在灰度模式下观察。如果你不能在灰度模式下区分出不同的颜色，那么这些颜色之间的差别就不够。

(2) 使用独特的颜色。前面说过我们的视觉系统综合了从视网膜视椎细胞传来的信号而生成的三个"颜色对抗通道"：红-绿、黄-蓝和黑-白（亮度）。能够在三个颜色感知通道中的一个上触发强信号（正或者负），而在另外两个通道上触发空信号的颜色是人们能够最轻易区分的。这些颜色就是红、绿、黄、蓝、黑和白（见图 5-12）。所有其他颜色都会在超过一个通道上产生信号，因此我们的视觉系统无法像分辨那 6 种颜色一样快速和轻松地分辨它们（Ware，2008）。

图 5-12
最独特的颜色。每种颜色仅在一个颜色对抗通道产生一个强信号

(3) 避免使用色盲的人无法区分的颜色对。这样的颜色对有深红和黑、深红和深绿、蓝色和紫色以及浅绿和白色。不要在任何深色背景上使用深红色、蓝色或者紫色。相反，在浅黄色和浅绿色背景上应该使用深红、蓝色和紫色。到 Vischeck.com 上检查网页和图像在有不同色觉障碍的人看起来是什么样子的。

(4) 在颜色之外使用其他提示。不要完全依赖于色彩。如果你用颜色代表某个东西，同时请再用另外一种方式来标记它。苹果的 iPhoto 使用颜色加符号来将"智能"相册从普通相册中区分出来（见图 5-13）。

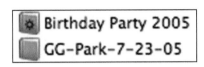

图 5-13
苹果公司的 iPhoto 使用颜色加符号来区分两类相册

(5) 将强烈的对抗色分开。将对抗色放在一起会产生令人难受的闪烁的感觉，因此也必须避免（见图 5-14）。

图 5-14

对抗色直接放在一起，让人崩溃

　　如之前所述，ITN.net 仅仅使用浅黄色来标记顾客在机票预定流程上的当前步骤（见图 5-5），这个差别太轻微了。一个简单的强化标记的办法是将当前步骤的字体加重并提高黄色的饱和度（见图 5-15a）。但 ITN.net 选择了一个全新的设计，也在颜色之上额外使用了新的形状轮廓（见图 5-15b）。

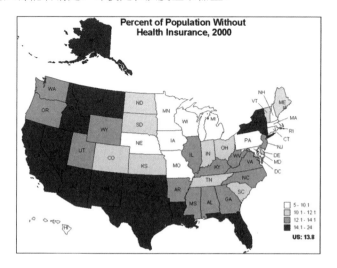

图 5-15

当前步骤被用颜色和形状两种方式突出显示

　　联邦储备银行网站上的一张图使用了白色和不同深浅的绿色（见图 5-16）。这张图设计得很好，任何没失明的人都能看清楚，即使是在灰度显示器上。

图 5-16

MinneapolisFed.org：图中使用所有人在任何显示器上都能看清楚的不同颜色

第 6 章

我们的边界视力很糟糕

上一章解释了人类视觉系统与数码相机在察觉和处理颜色上的差别。我们的视觉系统在分辨率上也与相机存在着差别。在数码相机的感光器件上，感光元素均匀地平铺在紧密的阵列上，因此空间分辨率在整个图片框里是一致的。人类的视觉系统却并非如此。

本章将解释为什么：

❑ 处于人们边界视野中的暗色的静止物体经常不被注意到；

❑ 边界视线中物体的运动通常会被察觉。

中央凹的分辨率与边界视野的分辨率比较

人类视野的空间分辨率从中央向边缘锐减。每只眼睛大约有 600 万视网膜视椎细胞，它们在视野的中央——一个很小的叫做中央凹的区域——分布得比在边缘紧密得多（见图 6-1）。中央凹仅占视网膜面积的 1%，而大脑的视觉皮层却有 50% 的区域用于接受中央凹的输入。进一步说，中央凹的视椎细胞与视觉信息处理和传导的起点——神经节细胞的连接比是 1:1，而在视网膜其余地方，多个光感受细胞（视椎细胞和视杆细胞）才与一个神经节细胞相连。用术语来说，边界视觉的信息在被传递到大脑之前是经压缩（数据有损）的，而中央凹的视觉信息则不是。所有这些导致我们视野中央的视觉分辨率要远远高于其他地方（Lindsay & Norman，1972；Waloszek，2005）。

要形象地想象中央凹与你的视野相比有多小，将你的手臂伸直并盯着你的大拇指。你的拇指指甲盖，从一只手臂之外看去，大约与中央凹的大小相当（Ware，2008）。当你将目光焦点集中到大拇指指甲上时，视野中其他东西全部落在你视网膜的中央凹之外。

正常人的中央凹的分辨率非常高：他们能在那个区域里分辨出好几千个点，比现在许多口袋数码相机更高。而只要出了中央凹，分辨率就下降到一只手臂之外，只能分辨出每英寸几百个点。在视野边缘，一只手臂之外视觉上的一个"像素"就与一个甜瓜（或者人头）大小差不多了（见图 6-2a 和图 6-2b）。

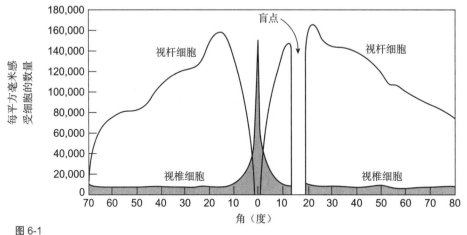

图 6-1

感光细胞（视椎细胞和视杆细胞）在视网膜上的分布（Lindsay & Norman，1972）

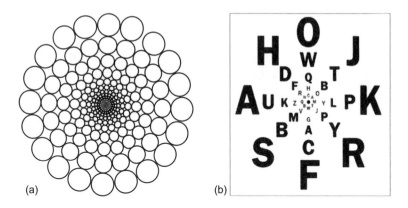

图 6-2

我们视野的分辨率是中央高而边缘却低得多（b）图片选自 *Vision Research*，Vol.14(1914)，Elsevier

如果我们的边界视觉分辨率如此之差，那么一定有人要问为什么我们看到的世界不是一个"隧道"，即除了直接注视的东西，其他所有东西都是失焦的。相反，我们看周围的东西也都是清晰的。我们能有这样的感觉是因为眼睛以大约每秒三次的速度不断快速移动，选择性地将焦点投射在周围的环境物体上。大脑则用粗犷的、印象派的方式，基于我们所知和所期待的，填充视野的其他部分[1]。大脑无需为我们四周的环境保持一个高分辨率的心理模型，因为它能够命

---

① 在视觉受到抑制时，我们的大脑还会填充眼跳运动时的感知空白。

令眼睛在需要的时候去采样和重新采样具体细节（Clark，1998）。

例如，当你在阅读这一页时，你的目光左右上下巡视、扫描和阅读。不论你目光注视在这页的什么地方，你都感觉自己在阅读一整页的文字，当然，你的确如此。但现在想象你正在电脑屏幕上看这一页，而电脑正在跟踪你的眼球移动并且知道你的视网膜中央凹所看的地方。想象不论你在看哪儿，对应到你的中央凹的文字是清晰正确的，而其他地方电脑则显示随机无意义的文字。当你的中央凹在这一页快速掠过，电脑快速地更新中央凹停下的位置，在那里显示正确的文字，而之前对应的位置则立刻回到随机无意义的文字。实验神奇地发现人们根本没有注意到这点：他们不仅能够正常地阅读，而且还相信他们阅读的是一整页有意义的文字（Clark，1998）。

与此相关的事实是我们视野中心，即中央凹及其边缘的小块区域，是我们视野能够阅读的部分。视野的其他部分不能用于阅读。这真正意味的是从中央凹开始的神经网络，从视觉神经到视觉皮层，并扩展到大脑其他部位，被训练成能够阅读，但从视网膜其他区域开始的神经网络无法用于阅读。我们读到的所有文字是被这个中央区域扫描过才进入视觉系统的。这意味着阅读要求大量的眼球运动。当然，基于我们所读到的和所知的，我们的大脑能够预测中央凹还未读到的文字（或者其意义），使得我们能够跳过它们，但这毕竟与实际的阅读不同。

视网膜视椎细胞在中央凹及其附近紧密分布，而在视网膜边界稀疏分布，这不仅影响空间分辨率，同样也影响色彩分辨率。相比于视野边界的色彩，我们更能分辨处于视野中央的色彩。

关于我们视野的另一个有趣的事实是它有一个缺口，一个我们什么也看不到的小区域。这个缺口对应于视网膜上视觉神经和血管在眼球后的出口（见图 6-1）。那里没有视杆细胞和视椎细胞，因此我们视野中的某个物体的成像如果恰好落在这个缺口上，我们就看不到它。我们通常注意不到它是因为大脑用其四周的景象填补了它，就像图像艺术家们用 Photoshop 将一个污点四周的像素复制后修补它一样。

人们有时能够在注视星空时发现这个盲点。当你抬头注视一颗星星时，它旁边的另一颗星星可能短暂消失在盲点里，直到你改变注视点。你也能通过图 6-3 所示的练习来观察这个盲点。有些人因视网膜的缺陷，如视网膜受损或者因中风影响了视皮层等，而有其他盲点，但这个视神经缺口导致的盲点是人所共有的。

图 6-3
要"看到"视网膜缺口，遮住你的左眼，将书举到面前，然后用右眼注视着符号＋。使书缓慢地远离你，一直注视着符号＋。符号 @ 将在某个时刻消失

边界视觉有什么用

看起来中央凹在任何方面都要比视觉边界要好。有人可能会问，我们为什么要有边界视觉，它有什么用？

答案是，边界视觉的存在主要是为了提供低分辨率的线索，以引导眼球运动，使得中央凹能够看到视野里所有有趣和重要的东西。我们的眼睛不是随机扫描环境的。眼动是为了使中央区关注重要的东西，首先（通常）关注最重要的。我们视野周边的模糊线索提供了信息，帮助大脑计划往哪里以及以什么顺序移动眼睛。

例如，当我们要看一个药品的"使用期限"标签，边界视觉中的一个像日期的模糊影像就足以让眼球移动，使中央凹视线落在那里并查看它。如果我们在一个农产品市场寻找草莓，一个在视觉边缘模糊的红色色块就能够吸引我们的眼球和注意力，虽然它有时可能就是块红色的东西而不是草莓。如果我们听到附近发出动物咆哮声，眼角一个模糊的像动物的形状就足以让我们飞快地将眼睛转向那个方向，尤其是当那个形状朝我们的方向移动的时候（见图 6-4）。

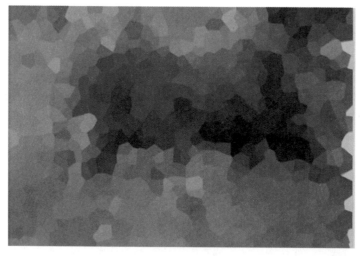

图 6-4
一个在我们视野边缘移动的形状吸引我们的注意：它可能是食物，也可能把我们视为食物

这体现了边界视觉的另一个优势：它能够很好地察觉运动。我们边界视野中任何运动，即使非常轻微，很可能吸引我们的注意，从而引导中央凹去注视它。这个现象产生的原因是我们的先祖（包括还未成为人类的那些）是因为具有发现食物和躲避捕食者的能力而生存下来的。因此，虽然我们能够有意识、有目的地移动眼球，但控制它们往哪儿看的机制是潜意识的、自动的，也是非常快的。

那如果我们没有理由期待视野边缘有什么有趣的东西[1]，而且那里也的确没有吸引我们注意的东西，情况会怎样？我们的中央凹不会看到那里，因此我们永远也看不到那里有什么。

电脑用户界面中的例子

我们边缘视觉的低敏感度解释了为什么软件和网站用户无法注意到某些出错消息。当某人点击了一个按钮或者链接，那通常是他的中央凹所注意的地方。屏幕上任何不在点击位置1～2厘米距离内的东西（假设电脑的观看距离正常）都处于分辨率很低的边界视觉内。如果点击之后，出错消息出现在视觉边界，那么你不必对用户没有注意到它感到奇怪。

例如，在 InformaWorld.com——InformaHealthCare 的在线出版网站上，如果用户输入了错误的用户名或者密码并点击"登录"，一个出错消息将出现在远离用户眼睛最可能关注位置的"信息条"上（见图 6-5）。红色的"错误"在用户视觉边界就是一小块红色色块，这有可能吸引用户去看它。然而，这个红色块可能落到观察者视觉的盲点上，这样的话就根本不可能被注意到。

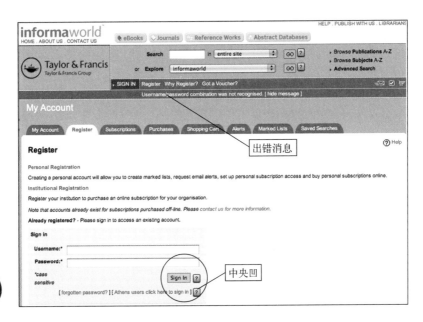

图 6-5
登录的错误消息出现在多半会被忽略的边界视觉中

从用户的角度考虑一下这个过程。用户输入用户名和密码然后点击"登录"。页面刷新再次显示空白字段。用户想："哦？我刚刚输入了我的登录信息，不是吗？我按了错误的按钮了

---

[1] 关于期望如何影响我们的感知，参见第 1 章。

吗？"于是再次输入用户名和密码，并再次点击"登录"。页面又再次显示空白的字段。用户现在真的困惑了。用户叹口气（当然会），靠回椅子靠背，重新扫描屏幕，突然注意到了出错消息，于是用户说："啊哈！那出错消息一直就在那吗？"

即使当出错消息被放置在用户视野中央而不是像上一个例子那样，其他因素也能够降低它的可见性。例如，直到不久前，Airborne.com 一直将登录错误用红色显示在登录 ID 字段的上方（见图 6-6）。这个出错消息完全用红色而且相当靠近"登录"按钮，这是用户眼睛多半会注意到的地方。尽管如此，当这个出错消息第一次出现时，一些用户还是没能注意到它。为什么呢？你能想到人们最初没能看到这个出错消息的原因吗？

图 6-6
登录错误的信息即使离"登录"按钮不远也还是没能被一些用户发现

一个原因是虽然出错消息离用户点击"登录"按钮时所看的位置近多了，但它仍然处于视觉边界，而不是中央凹所在位置。中央凹很小：当用户处于离屏幕正常距离时，它在电脑屏幕上仅仅有一两厘米。

第二个原因是错误消息不是近页面顶端的唯一红色显示。页面标题也是红色的。边界视觉的分辨率很低，因此当出错消息出现时，用户的视觉系统可能无法观察到任何改变：那里之前就有红色的东西，现在还是如此（见图 6-7）。

图 6-7
当中央凹注视于"登录"按钮时，对用户视野的模拟

　　如果页面标题是黑色或者红色之外其他颜色，红色出错消息就更有可能被注意到，即使它出现在用户视野的边界中。

让信息可见的常用方法

有几个常见的、为人熟知的方法，可以确保出错消息被看到。

- ❏ **放在用户所看的位置上**　当与图形用户界面交互时，人们的注意力在可预期的地方。在西方社会，人们倾向从左上角向右下角扫描表单和控件。当移动屏幕上的指针时，人们通常看着它所在的位置或者将要移动到的地方。当人们点击一个按钮或者链接时，通常可以假设他们正看着它，至少在点击之后的一小段时间里在看。设计者可以利用这个可预计性将出错消息摆放在期待用户可能看到的地方。
- ❏ **标记出错误**　用某种方式显著地标记出错误并清晰地指明出错了。这通常只要将出错消息摆放在它所指的地方即可，除非这会将出错消息放到离用户可能看到的位置非常远的地方。
- ❏ **使用错误符号**　用类似 "❌"，"⚠"，"⚠" 或者 "❗" 等错误符号来明显地标记出错误或者错误消息。
- ❏ **保留红色以呈现错误（信息）**　习惯上，在交互的计算机系统里，红色暗示警告、危险、问题、错误等。使用红色来标记其他信息会导致误解。但假设你在为斯坦福大学设计网站，它的学校颜色是红色，或者你为中国市场设计，在那里红色被认为是吉祥、积极的颜色。你该怎么办？那就使用另一种颜色代表错误，用错误符号标记或者使用其他更强大的方法（见下一节）。

InformaWorld 的登录错误屏幕的一个改进版本，就使用了其中的几个方法（见图 6-8）。

图 6-8
登录错误消息被明显地显示出来，并且靠近用户所看的位置

在 AmericaOnline 的网站，注册新邮箱账号的表单很好地遵循了这几个准则（见图 6-9）。出错了的输入字段用红色符号标记出来。错误消息用红色显示并且靠近所指的错误。还有，大部分的错误消息在输入错误时即刻出现（这时用户注意力还在该字段上），而不是在用户提交了表单之后。AOL 用户不大可能会错过而看不到这些错误消息。

图 6-9
AOL.com 的新用户注册页面在显示错误时靠近每个错误并明显地显示

让用户注意到信息的重武器：请小心使用

如果以上让用户注意信息的常见的、传统的方法还不够，设计者还有三个更强大的方法。然而，这些方法虽然有效，但也有明显的负面效应，因此应小心、审慎地使用。

弹出式对话框中的信息

用对话框显示错误消息是直接将其摆在用户面前，使其很难被忽略。错误消息对话框打断用户的工作而且要求立即将注意力转向它。如果这是个紧急情况的错误消息，那么这样做是正确的；但如果仅仅用于类似确认用户请求操作的执行情况等不重要的信息，就会让人觉得厌烦。

弹出对话框的令人厌烦的程度随着模式级别的提高而提高。非模式的弹出窗口允许用户忽略它们继续自己的工作。应用程序层的弹出窗口停止了该程序下的所有工作，但允许用户与计算机上的其他程序互动。系统级别的弹出窗口阻止了所有的用户操作直到对话框被关闭。

应用程序级别的弹出窗口应谨慎使用，例如，只有当用户不作响应可能导致应用程序的数据丢失时才使用。系统级别的弹出窗口应在极少的情况下使用，基本上只有当系统要崩溃并且要好几个小时才能修复时，或者在如果用户没注意到错误消息就会有人员伤亡的情况下才能使用。

在网页里，还多了一个避免弹出式错误消息对话框的理由，就是有人会将浏览器设置为阻止所有弹出窗口。如果你的网站依赖弹出式错误提示，有些用户可能永远看不到它们。

使用声音（如蜂鸣声）

当电脑发出蜂鸣，就是告诉用户出了问题并且请求注意。用户的眼睛条件反射性地开始扫描屏幕寻找造成蜂鸣的任何可能。这就让用户注意到没有放置在用户视线所在位置的错误消息了，例如屏幕上的标准错误消息框。这就是蜂鸣的价值。

然而，想象一下在有许多人工作的办公区或者教室里，所有人都在使用一个用蜂鸣声来提示错误和警告的应用程序。这样的工作环境往轻里说也是非常令人厌烦的。更糟糕的是，人们将无法区分是自己的还是别人的电脑在叫唤。

在嘈杂的工作环境里，例如工厂或者电脑机房，蜂鸣声会被环境噪声所掩盖。

最后，在一些人的电脑上，声音是关闭的，或者音量调得很低。因此通过声音来提示错误和其他情况是只能在非常特殊和受控的条件下采用的手段。

闪烁或者短暂的晃动

如之前描述的，我们的边缘视觉善于捕捉运动，而视觉边缘的运动会导致眼球反射性地将中央凹投射到运动上。用户界面设计者可以利用这一点，在希望确保用户看到时，使用短暂的晃动和闪烁。触发眼球运动不需要太大的动作，只需要一点点运动就足够让观察者的眼球立刻转向那个方向。人类上百万年的进化还是很有效果的。

然而，就像弹出对话框和发出蜂鸣，运动也必须谨慎使用。大部分有经验的电脑使用者厌恶屏幕上晃动、闪烁的东西。我们大多数人已经学会忽略那些闪烁的显示，因为许多这样的显示都是广告。相反，某些电脑用户有注意力障碍，很难让他们忽略闪烁或者晃动的东西。

因此，如果使用运动或者闪烁，必须简短：它应只能延续四分之一到二分之一秒，不能再长。否则它很快就会从无意识的提醒变成有意识的打扰了。

小心使用

谨慎地使用以上这些"重武器"，只在显示关键信息时使用。当频繁使用弹出窗口、声音、动作和闪烁来吸引注意时，一个心理学上被称为"习惯化"的现象就会出现。我们的大脑对频繁产生的刺激越来越不注意。就像喊"狼来了"的孩子那样，村民最终学会了忽略求救声，以致当真的狼来了时，没人理睬他了。强烈的注意力获取方法的滥用会导致重要信息被习惯化屏蔽。

REI.com 有一个用弹出对话框来显示错误消息的例子。这个信息是在有人注册成为新用户时，忽略了必填字段后显示的（见图 6-10）。这是个使用弹出对话框的恰当例子吗？ AOL.com（见图 6-9）显示缺失数据错误时，可以不通过弹出对话框而很好地显示，因此 REI.com 的弹出对话框看起来是用力过猛了。

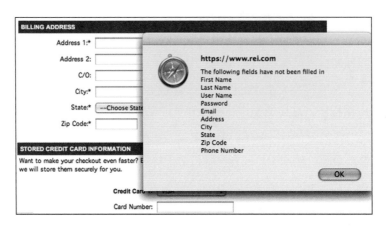

图 6-10
REI 的弹出对话框报告必要的数据没有填写。这很难被错过，但可能是小题大做了

对话框更恰当的使用来自于微软的 Excel（见图 6-11a）和 Adobe 的 InDesign（见图 6-11b）。在这两种情况下，用户面临丢失数据的风险。

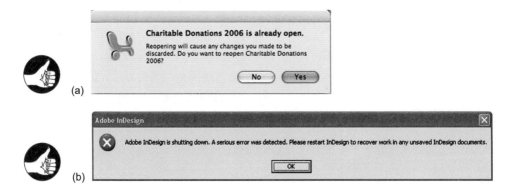

图 6-11
恰当的对话框的使用：（a）微软公司的 Excel，（b）Adobe 公司的 InDesign

电脑游戏大量使用声音来通知事件和状态。游戏里，声音并不令人讨厌，相反，用户期待

声音。游戏里声音的使用非常广泛，甚至在游戏厅里，几十台机器在同时猛击、怒吼、叮当作响、蜂鸣和播放音乐。（好吧，这对那些不得不忍受在尖叫声和隆隆声中走进游戏厅把孩子叫回家的父母们来说，是非常令人讨厌的，但游戏毕竟不是为父母而设计的。）

在电脑用户界面里最常见的闪烁的使用（除了广告）是在菜单栏中。当一个操作，比如菜单里的"编辑 > 复制"被选择时，菜单被关闭前通常会闪烁一下，来向用户确认系统"收到"了命令，即用户没有错过那个菜单项。这种闪烁的使用很常见，而且在大部分电脑上它快得甚至让用户注意不到。但如果菜单项没有闪烁，我们可能对刚才是否选到了它就没那么有信心了。

作为一个利用动作来吸引用户眼球注意的例子，想象一下改进后的 InformaWorld 的登录错误消息（见图 6-8）出现，并在 0.25s 内向上、下、左和右各晃动了一个像素的位置后停止，成为一个简单的静态图像（见图 6-12）。这能够在不令人讨厌的同时保证吸引到用户的眼球。因为，你眼角的那个运动可能来自一只豹子。

图 6-12
一个错误消息可以在出现前短暂晃动，以吸引用户的中央凹关注到它

第 7 章

我们的注意力有限，
记忆力也不完美

　　人类的记忆力就像视觉系统，有它的优势和缺点。本章通过介绍这些优缺点，提供知识背景来帮助理解如何才能使设计出来的互动系统能够支持和增强人类记忆力，而不是为其增加更多负担和混淆。我们从记忆力如何工作开始。

短期与长期记忆

　　心理学历来就把记忆区分为短期记忆和长期记忆。短期记忆涵盖了信息被保留从几分之一秒到几秒，甚至长达一分钟的情况。长期记忆则从几分钟、几小时、几天到几年甚至一辈子。

　　把短期记忆和长期记忆区分成不同的记忆存储是很吸引人的。一些理论也确实把它们分成两类。毕竟，在一台电脑里，就有分开的短期记忆存储（中央处理器的计数器）与长期记忆存储（随机可读存储或者 RAM、硬盘、闪存、光盘等）。更直接的证明是大脑某些部分损伤会影响短期记忆，却不影响长期记忆，或者反之。最后，一些信息和想法转瞬即逝，而生命里重要的事件、特别的人、参加过的活动和学习到的知识却似乎永久地存在记忆中（见图 7-1）。

图 7-1
对于短期与长期记忆的传统（陈旧的）观点

对记忆的一种现代观点

　　近期对记忆和大脑功能的研究表明短期和长期记忆是由同一个记忆系统实现的，这个系统与感知的联系，比之前所理解的更紧密（Jonides et al.，2008）。

长期记忆

感觉通过视觉、听觉、嗅觉、味觉或者触觉系统进入大脑负责相关感官的区域（比如视皮层和听皮层）并触发其反应，然后散播到大脑其他不与任何具体感觉通道相关的部分。大脑与具体感觉相关的区域仅仅察觉简单的特征，比如明暗的边界、斜线、高音调、酸味、红色或者向右的转向。大脑在神经处理中处于下游的区域将这些低层的特征信号整合起来，来检测输入的高层特征，比如动物、凯文叔叔、（音乐中的）小调、威胁或者"鸭子"这个单词。

感觉能影响到的神经元很大程度上由其特征和环境决定。所处的环境与感觉的特征一样重要。例如，当你在小区行走时与安全地坐在车里时听到旁边的狗叫，触发的神经活动是不同的。两次感觉的刺激物越是相似（即相同的特征与环境因素越多），对它们产生反应所触发的神经元群体之间的重叠也就越大。

感觉所产生的最初强度取决于大脑其他部位对它的放大或者抑制程度。所有感觉都会产生某种痕迹，但有些微弱到几乎无法察觉：该模式被触发一次之后就再也不被触发了。

记忆的形成由参与某个神经活动模式的神经元上长期甚至永久的变化组成，这使得该模式在将来容易被再次激活[1]。其中有些变化将某种化学物质释放到神经元周围的区域，改变了它们在很长时间内对刺激的敏感度，直到这些化学物质被稀释或中和。而神经元的生长和神经元之间新连接的建立则造成更永久的变化。

激活记忆是再次激活与记忆产生时同样的神经活动模式。大脑能够以某种方式区分神经模式的第一次激活与再次激活，或许是因为该模式再次激活更容易一些。与最早感觉相似的新感觉触发相同的模式，使得它被大脑识别。即使没有类似的感觉，大脑其他部分的活动也能够再次激活某个神经活动，如果被意识到，就引起了回忆。

一个神经记忆的模式越经常被再次激活，就变得越"强烈"——也就是说，再激活它越容易。这意味着其对应的感觉就越容易被识别和回忆。神经记忆模式也能被大脑其他部分发出的刺激性或者抑制性的信号强化或削弱。

某个记忆不是被锁定在大脑某个特定的地方。涵盖记忆的神经活动模式涉及了一个延伸到很大区域的神经网络。不同记忆的神经活动模式因共享的感觉特征而相互覆盖。移除、破坏或者抑制大脑某个部分的神经细胞并不能完全清除这些神经细胞参与的记忆，而仅仅是降低了记忆的细节和精确程度。[2]然而，一些参与神经活动模式的区域可能处在关键路径上，因此移除、

---

[1] 有证据表明神经系统上的与学习相关的长期改变，主要发生在睡眠中。这意味着间隔安排学习时间与睡眠有可能促进学习（Stafford & Webb，2005）。

[2] 这与从全息图像切下片段的效果类似：把图像整体的分辨率降低了，而不是像从一张普通照片上剪下碎片。

破坏或者抑制它们能够导致模式不再被激活，也因此完全消除了其对应的记忆。

短期记忆

之前讨论的过程是关于长期记忆的。短期记忆又如何产生呢？"意识"一词暗示了答案。

短期记忆不是存储——它不是记忆和感觉被处理的地方。更准确地说，它不是感觉系统获得的信息或者从长期记忆中取出的信息的临时存放处。短期记忆是感觉和注意现象的组合。

我们的每一个感官都有其非常短暂的短期"记忆"，那是感官刺激后残留的神经活动导致的，就像铃铛在被敲击之后的短暂余音。在完全消失之前，这些残留感觉可作为大脑的注意机制的输入，与其他感官接收来的信号整合，使我们意识到它们。这些感官特异性的残留感觉共同组成了短期记忆的一小部分。

我们的注意机制还可以接收通过识别和回忆而再次激活的长期记忆。就像之前解释的，每个记忆对应于一个分布于整个大脑的具体神经活动模式。某个神经活动模式一旦被激活，也能被注意机制接收。

人类大脑有多个注意机制，一些是主动的，一些是被动的。它们使我们的意识专注于感觉和被激活的长期记忆中非常小的子集，而忽略所有其他部分。这个存在于我们"此刻"的意识中，来自于感觉系统和长期记忆的信息的非常小的子集，构成我们短期记忆的主要部分，也被认知科学家称为工作记忆。

不要把工作记忆当成是一个来自感觉系统和长期记忆的信息被大脑处理时所用的临时缓冲区。把它当做注意结合的焦点，即那些当前我们所意识到的被激活的神经活动模式。短期记忆里的信息数量极端有限和不稳定。

那么那些发现大脑某些部位的损伤造成短期记忆障碍，而另一些部位的损伤造成长期记忆障碍的早期研究说明了什么呢？当前对这些发现的解释是有些类型的损伤降低或者消除了大脑注意某些事物和活动的能力，而另一些损伤则伤害了大脑存储或者回忆长期记忆的能力。

短期记忆的特点

如前所述，短期记忆等于注意的焦点，即任何时刻我们意识中专注的任何事物。

此刻你所意识到的是前几个单词和读到的概念，但多半没注意到你前面那堵墙的颜色。但此刻我已经转移了你的注意，你应该注意到了那墙的颜色，但可能忘记了上一页你读到的一些概念。

短期记忆最重要的特点就是低容量和高度不稳定性。

短期记忆的低容量是为人所熟知的。很多受过大学教育的人们读过"七这个奇妙的数字，加二或者减二"，即认知心理学家 George Miller 于 1956 年提出的人类短期记忆能够同时记住互不相关的东西的数量限制（Miller，1956）。

Miller 对短期记忆限制的描述自然会引起一些问题。

- ❑ **短期记忆中的东西是什么？** 它们是当前的感觉和获取到的记忆。它们是目标、数字、单词、名字、声音、图像、味道等，任何人能够意识到的东西。
- ❑ **为什么这些东西必须互不相关？** 因为如果两个东西有关联，就对应到一个大的神经活动模式，即同一组特征，因此也就是一个东西，而不是两个。
- ❑ **为什么有这个不准确的加二或者减二？** 因为研究者们无法以完美的精确度测量人们能回忆起多少东西，也因为人们在记忆上存在的个体差异。

20 世纪 60 年代和 70 年代的研究发现 Miller 的预计偏高了。在 Miller 的实验里，人们被展示的对象可以被"组块"（即被认为是相关的），使得人们的短期记忆显得要比实际上能记住更多东西。当实验重新设计成无法被无意地"组块"时，显示的短期记忆的容量更接近于四个加减一，也就是三到五个（Broadbent，1975）。

更近期的研究对短期记忆的容量是否应以整个或者整"组"对象来测量提出质疑。在早期实验中，人们被要求在短时间内记住相互差别很大的东西（即几乎没有相似特征的东西，比如单词或者图像）。在这种情况下，人们不必记住每个东西的所有特征而在几秒后回忆起来，只要记住它的几个特征就够了。这样人们看起来就是回忆整个东西，因此短期记忆的容量似乎可以用"整个"事物来测量。

近期的实验让人们记住相似的东西，即它们之间有共同特征。这时要将对象一一区分出来，人们需要记住更多的特征。这些实验发现人们记住某些东西的细节（即特征）比另一些多，而且他们对于越注意的东西，记住的细节就越多（Bays & Husain，2008）。这些发现意味着注意的单位（也是短期记忆的容量限制单位）最合适用事物特征来衡量，而不是整个或者成"组"的事物（Cowan，Chen & Rouder，2004）。

短期记忆的第二个重要特点是它非常不稳定。认知心理学家曾经说进入短期记忆的新东西经常把旧的挤出去，但这样描述短期记忆的不稳定性是基于将其视为临时存储空间的观点的。现代将短期记忆视为注意当前焦点的表达更清楚：将注意转移到新事物上就得将其从之前关注的事物上移开。

不论我们如何描述短期记忆，信息总是很容易从中丢失。如果不将短期记忆中的东西结合或者重复，我们就冒着对它们失去关注的风险。这样的不稳定性不仅适用于物品的细节，同样也适用于我们的目标。从短期记忆里丢失东西对应的就是忘记要做什么或者某件事情做到哪一步了。我们都有过类似的经历，举例如下。

- ❑ 去另一房间拿一件东西，到了房间却忘记要做什么。
- ❑ 接了个电话后忘记我们接电话前在做什么。
- ❑ 谈话中突然被某件事情打断，回头发现忘记了我们之前谈了什么。
- ❑ 在把一长串的数字相加起来时，被某件事打断，之后不得不重新开始计算。

研究者们展示短期记忆在容量和时间上都是有限的一个方式是让人们看一张图，接着再看同一张图的另一个版本后问他们第二张与第一张是否相同。令人惊讶的是，第二张与第一张有许多不同的地方，人们却无法发现。为了更深入探索，研究者要求人们回答关于第一幅图的问题，影响他们观察的目标，即他们注意力所关注的特征。结果是：除了被引导而注意到的特征，人们无法发现其他区别。这被称为"变化盲视"（Angier，2008）。

关于短期记忆不稳定性的一个非常打击人的例子来自于一个实验。在实验里，实验者手里拿着地图，扮成迷路的游客向经过的当地人问路。当本地人专注于地图试图找出一条最好的路线时，两个由实验者扮演的工人扛着一扇门从游客和当地人之间穿过，而且就在那时，另一位实验者扮演的"游客"替换之前那位"游客"。令人惊奇的是，当门经过之后，超过一半的人继续帮助"游客"而没有注意到任何变化，即使两位"游客"在头发颜色或者是否留胡子等特征上存在差别（Simons & Levin，1998）。有些人甚至没有注意到性别差异。结论是，人们对"游客"的关注仅仅到足够确定他们是否构成威胁或者是否值得帮忙为止，并且仅仅"记住"那人是位需要帮助的游客，然后就专注于地图和指路的任务上了。

短期记忆的测试

准备一支笔和两张白纸，然后按以下步骤做。

(1) 将一页空白纸放在本页之后盖住下一页。

(2) 翻到下一页停留三秒，拉开纸并读第一行的那些**黑色数字**，然后回到本页。不要看那页的其他数字，除非你想破坏这个测试。

(3) 将你的电话号码从后往前大声地说出来。

(4) 现在凭记忆将黑色数字写下来。……你能把所有数字都写下来吗？

(5) 翻到下一页停留三秒，读红色的数字（位于黑色数字之下），再回到本页。

(6) 写下记忆中的那些数字。如果你注意到它们是圆周率（3.141 592）的前 7 位数字，就会比回忆第一次的那些数字容易，因为这样它们就是一个数，而不是 7 个数。

(7) 翻到下一页停留三秒，读绿色的数字，再回到本页。

(8) 凭记忆写下那些数字。如果你注意到它们是从 1~13 的奇数，就比较容易，因为它们可以是 3 个（"奇数，1，13"或者"奇数，7，从 1 开始"），而不是 7 个。

(9) 停留三秒，读橙色的单词，再把数盖住。

(10) 凭记忆写下那些单词。……你能把它们都回忆出来吗？

(11) 停留三秒，读蓝色的单词，再把数盖住。

(12) 凭记忆写下那些单词。……这次肯定非常容易将它们所有都回忆出来，因为它们构成了一个句子，因此它们能够被记忆成一句话而不是 7 个单词。

3 8 4 7 5 3 9

3 1 4 1 5 9 2

1 3 5 7 9 11 13

town river corn string car shovel

what if the meaning of life

短期记忆的特点对用户界面设计的影响

短期记忆的容量和不稳定性对交互式计算机系统的设计有很多影响。最基本的启示是用户界面应帮助用户从一个时刻到下一时刻记住核心的信息。不要要求用户记住系统状态或者他们已经做了什么，因为他们的注意力专注于主要目标和朝向目标的进度。接下来是具体的例子。

模式

短期记忆有限的容量和不稳定性是为什么用户界面设计准则中经常说要么避免模式要么提供足够的模式反馈的原因。在一个使用模式的用户界面下，一些用户操作根据系统所在的模式会有不同的效果，举例如下。

- ❑ 在车里，根据当前变速器是否在驱动、倒向或者空挡，踩下油门踏板可以将车往前移动、向后移动或者什么也不做。变速器决定了汽车的用户界面模式。
- ❑ 在许多数码相机里，按下快门可以是拍照片或者拍摄视频录像，这取决于当前选择了哪个拍摄模式。
- ❑ 在绘画程序里，点击和拖曳通常是在画面上选择一个或者多个图形对象，但是当软件处于"画方框"模式时，点击和拖曳是在画面上添加了一个方框并将它拉至希望的尺寸。

带模式的用户界面有其优势，这是为什么很多交互系统提供模式。模式允许一个设备具有比控件还多的功能：同样的控件在不同模式下提供不同的功能。模式让交互式系统分配不同的意义给同样的操作从而减少用户必须学习的操作的数量。

然而，模式有一个为人熟知的缺点，就是人们经常犯模式错误：他们会忘记系统当前所处的模式而导致误操作（Johonson，1990）。尤其是在对当前处于哪个模式提供糟糕的反馈的系统中，这个缺点尤其明显。因为模式错误的问题，很多用户界面设计准则说要么避免模式，要么提供强烈的反馈告知当前所在的模式。人类短期记忆太不可靠，以致设计者不能假设用户在没有清晰、连续的反馈时，能够记住当前系统处于何种模式，即使系统的模式切换是由用户决定的。

搜索结果

当人们在电脑上使用搜索功能查找信息时，他们输入搜索词，开始搜索并查看结果。评估结果经常要求知道对应的搜索词是什么。如果短期记忆不是那么有限，人们在浏览结果时，通常能够记住几秒钟之前他们用的搜索词是什么。但如我们已经了解到的，短期记忆是非常有限的。当结果出现时，人们的注意力自然地从他们输入的词转移到了结果上。因此人们查看搜索结果时经常会忘记用的搜索词是什么，就一点也不奇怪了。

不幸的是，一些在线搜索的设计者并不了解这个。搜索结果有时并不显示产生这个结果所用的搜索词。例如，2006 年 Slate.com 的搜索结果页面提供了搜索输入框，却没有显示用户之前用的搜索词（见图 7-2a）。该网站的更新版本显示了用户的搜索词（见图 7-2b），从而减少了对用户短期记忆的压力。

Search for:

[   ] [Search]

Advanced Search Options

Topics [   ]

Departments [   ]

Authors [   ]

Publication Date

from [   ]

to [   ]

[Search]

Found 968 matches. << **1 - 25 of 968** >>

Rank6	Headline	Author	Published	Department
****	**Defendant DeLay? Part 2** Who blurted out, "$100,000"? A hypothesis.	Timothy Noah	Oct 06, 2004	Chatterbox
****	**The Tom DeLay Scandals** A scorecard.	Nicholas Thompson	Apr 07, 2005	Gist, The
****	**The Wall Street Journal vs. Tom DeLay** Has the editorial page gotten ... nice?	Timothy Noah	Dec 12, 2001	Chatterbox
****	**Defendant DeLay?** Nick Smith's bribery accusations	Timothy Noah	Oct 01, 2004	Chatterbox

(a)

SEARCH FOR:

Date(s): ○ Past 7 Days ○ Past 30 Days ○ Past 90 Days ○ Past Year ● Since 1996

[barack obama] [SEARCH]

▶ *Advanced*

SORT BY « 1 - 25 OF 2131 »

HEADLINE	AUTHOR	DATE	DEPT.
The Truth About Barack Obama Rumors the Obama campaign shouldn't try to correct.	*Christopher Beam*	Jun 17, 2008	Low Concept
Slate Votes Obama wins this magazine in a rout.		Oct 28, 2008	Politics
Barack Obama's Facebook Feed Every update from Slate's ongoing coverage of the president's secret social networking.		Jun 12, 2009	Politics
Dropping In on Obama's Kenyan Grandmother What it means to be an Obama in Africa.	*Andy Isaacson*	Oct 28, 2008	Dispatches
The Obama Marriage How does it work for Michelle Obama?	*Melinda Henneberger*	Oct 26, 2007	First Mates

(b)

图 7-2

Slate.com 的搜索结果：（a）2007 年，用户搜索词没有显示；（b）2009 年，显示了搜索词

指令

如果你问一个朋友一份菜谱或者去她家的路线，她给了你一长串步骤，你多半不会试图把所有的都记下来。你知道自己无法可靠地把所有指令都用短期记忆记下来，于是你会拿笔记下或者请求你的朋友用电子邮件发给你。迟些在用到这些指令时，你会将它们放在你能够看到的地方，直到目标完成。

类似地，在多步操作中用来显示使用说明的交互系统，应该允许人们在完成所有操作步骤的过程中随时查阅使用说明。大多数系统都会考虑到这一点（见图 7-3），但有的也做不到（如图 7-4）。

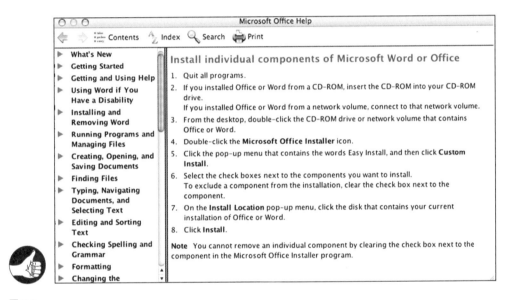

图 7-3
Windows 帮助文件里的指示在用户按步骤操作时一直保持显示

图 7-4
Windows XP 无线网络设置的操作指示竟然一开始就要求用户关闭指示框

长期记忆的特点

长期记忆与短期记忆有许多差别。与短期记忆不同，长期记忆的确是记忆的存储。

然而，具体的记忆不会存储在任何神经细胞或者大脑的某个部位。如前所述，记忆像感觉一样，由大量神经细胞的活动模式组成。相关的记忆与重叠覆盖的神经活动模式相对应。这意味着每个记忆都是分布式存储，分散在大脑的许多部位。因此，大脑中的长期记忆与全息成像的图像类似。

长期记忆经过进化，得以很好地为我们的祖先和我们在这个世界生存而服务。然而它也有很多缺点：容易出错、印象派、异质、可回溯修改，也容易被记忆或者获取时的很多因素影响。下面我们就来看看这些缺点。

易产生错误

几乎所有我们经验中的东西都存在于长期记忆里。不像短期记忆，人类的长期记忆似乎没有限制。虽然 Landauer（1986）使用人的平均学习速度来计算一个人一生能够学习到的信息量[1]，但还没有人测量过或者预测过人脑的最大信息存储量。

然而，长期记忆不是我们经验的准确且高解析度的记录。用计算机工程师熟悉的话来说，长期记忆就像使用了高压缩比的方法而导致了大量信息丢失。图像、概念、事件、感觉和动作，都被减弱为一系列抽象特征的组合。不同记忆以不同的细节层次记录，也就是按特征的多少记录。

例如，与一位对你并不重要的人短暂接触，你的记录仅仅是他留着胡子，有一张高加索男性的脸；没有其他细节，也就是一张减弱为三个特征的脸。如果在他不在场时要求你再描述他，你最多会说他是个"留着胡子的白人"。你无法从警察排出的其他留着胡子的高加索人中把他认出来。然而，对你最好的朋友，他在你记忆中的脸就带有非常多的特征，使得你能够给出详细的描述，并在警察要求你指认时一眼把他认出来。尽管如此，那也只是一组特征，远远不是一张点阵图像。

再举一个例子，我对童年时被一台扫雪机压过并受了严重的割伤记忆犹新，但我父亲说那事发生在我弟弟身上。我们其中一人肯定记错了。

在人机交互方面，微软 Word 的用户可能记得有一个命令可以插入页码，但他们可能忘了这命令在哪个菜单项里。这个功能用户在学习使用时可能就没记住。或者，也许菜单位置被记住了，但用户在试图回忆如何插入页码时，这个信息没能从记忆中被激活。

---

① 10^9 比特，或者说几百兆字节。

受情绪影响

第 1 章描述了一条狗每次乘主人的车回到家时都记得看到一只猫在它的前院。那狗第一次看到猫的时候处于兴奋状态，因此它对猫的记忆非常强烈和真实。

再举一个例子，一个成年人很容易对他第一天上幼儿园的情景记忆犹新，但多半不记得他第十天上幼儿园的情景。第一天，他可能因为被父母留在幼儿园而感到难过；而到了第十天，被留在那里已经没什么了。

追忆时可改变

假设你与家人参加游轮旅行时看到了鲸鲨。多年以后，当你和家人谈起那次旅游时，你可能记得看到了鲸鱼，而其中一位家人可能记得看到了一条鲨鱼。鉴于二者概念不匹配，对你们俩来说，一些长期记忆中的细节已经丢失了。

举一个真实的例子，1983 年，当时的美国总统罗纳德·里根在第一届任期中与犹太人领袖谈话时，他谈到了二战时自己曾在欧洲帮忙将犹太人从纳粹集中营解放出来。问题是，他在二战时从来没有到过欧洲。他当演员时曾出演过一部关于二战的、完全在好莱坞制作的电影。

长期记忆的测试

回答以下问题来测试你的长期记忆。

(1) 第 1 章的工具箱图里是否有一卷胶带？

(2) 你上一个电话号码是什么？

(3) 以下哪些单词没有出现在本章之前的短期记忆测试里？

city stream corn auto twine spade

(4) 你的一年级老师的名字是什么？二年级的？三年级的？……

(5) 之前提到的那个显示搜索结果时没有显示搜索词的网站是什么？

关于第 (3) 题：在记忆单词时，经常被记忆的是单词的概念，而不是单词本身。例如，有人可能听到单词"城镇"，而之后回忆成"城市"。

长期记忆的特点对用户界面设计的影响

长期记忆特点的主要启示在于，人们需要工具去加强它。从史前时期开始，人们发明了各种帮助自己长期记住事物的技术：刻了槽的木棍、打了结的绳索、记忆术、口述的故事和炉边口耳相传的历史、文字、经卷、书本、数字系统、购物单、检查表、电话本、日记本、记账本、烤箱计时器、计算机、移动数字助手（PDA）、在线共享日历等。

　　既然人类需要加强记忆的技术，很显然，软件设计者们应该试图提供能够满足这个需求的软件。至少，设计者们应该避免开发出造成长期记忆负担的系统。而那正是许多交互系统存在的问题。

　　身份认证这个功能是许多软件系统附加在用户长期记忆上的一个负担。例如，一个几年前开发的网络应用要求用户将他们的密码改为"一个容易被记住"的，但又强加了无法做到容易记住的限制（见图 7-5）。不论谁写的这些指令，看起来他都发现了密码要求不合理，因为最后的指令要求用户写下他们的密码！暂且不论把密码写下来也是一个安全隐患，这增加了又一个记忆任务：用户必须记住他们在哪儿藏着写下来的密码。

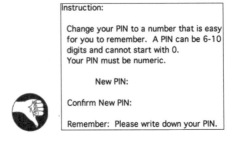

图 7-5
要求用户取一个容易记住的密码的指令，但限制又使其无法做到

　　一个为了安全而增加用户长期记忆负担的例子来自 Intuit.com。要购买软件，访问者必须注册。该网站要求用户从菜单里选择一个安全问题（见图 7-6）。如果你到时记不起来其中任一个问题呢？如果你记不起来你的第一只宠物的名字、你高中的吉祥物或者任何这种问题的答案呢？

图 7-6
Intuit.com 注册页面增加长期记忆负担：对任何一个问题，用户可能没有唯一能记住的答案

但这不是记忆负担结束的地方。一些问题可能有多个答案。许多人上过多个小学，有过多个童年朋友，或者小英雄伙伴。为了注册，他们必须选择一个问题并且记住给了 Intuit 哪个答案。如何做到？或许是在某个地方记下来。那么，当 Intuit.com 要求他们回答这个安全问题时，他们必须想起来他们把答案放在哪儿了。为什么要增加人们记忆的负担而不是更容易地让用户自己写一个能够轻松记起来答案的安全问题？

这种增加人们长期记忆负担的不合理要求对这个声称提供安全和效率的计算机软件起到了反作用（Schrage，2005），因为用户需要：

❏ 在电脑上或者附近或者抽屉里放粘贴纸；

❏ 在无法回忆密码时联系客服以取回密码；

❏ 使用非常容易被别人猜到的密码；

❏ 使用没有登录要求的系统，或者共用登录账号和密码。

NetworkSolutions.com 上的注册表单代表了朝向可用的安全性的进步。像 Intuit.com 一样，它提供了安全问题的选择，但也允许用户创建自己的安全问题——一个他们能够轻松想起答案的问题（见图 7-7）。

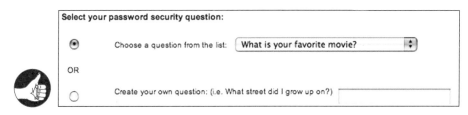

图 7-7
如果菜单中的任何一个都不能使他们满意，NetworkSolutions.com 允许用户自己创建一个安全问题

对交互系统来说，长期记忆的特点的另一个启发是，用户界面的一致性有助于学习和长期保留。

不同功能的操作越一致，或者不同类型对象的操作越一致，用户要学的就越少。[1]存在例外或在功能与对象操作上具有很少一致性的用户界面，会要求用户在长期记忆里为每个功能、每个对象以及正确的使用环境存储许多特征。要求用户记忆太多的特征会导致界面难以学习。也使得用户记忆更容易在记忆和获取时丢失核心特征，增加用户无法记起、记错或者犯其他记忆错误的可能性。

---

[1] 也可参考第 11 章。

以下为一个假想的多媒体文档编辑器的三个不同的剪切功能键盘快捷键设计方案。这个文档编辑器支持创建包含文本、草图、表格、图像和视频的文档。在设计 A 里，不论文中正在被编辑的类型是什么，剪和贴有同样的快捷键。设计 B 中，每种类型内容的剪贴的快捷键都不一样。在设计 C 中，除了视频以外所有类型的内容的剪贴快捷键都一样（见表 7-1）。

表 7-1　哪个 UI 设计最容易学习和记忆？哪个最难？

对　　象	文档编辑器的键盘快捷键：供选设计方案					
	设计 A		设计 B		设计 C	
	剪　　切	粘　　贴	剪　　切	粘　　贴	剪　　切	粘　　贴
文本	CNTRL-X	CNTRL-V	CNTRL-X	CNTRL-V	CNTRL-X	CNTRL-V
草图	CNTRL-X	CNTRL-V	CNTRL-C	CNTRL-P	CNTRL-X	CNTRL-V
表格	CNTRL-X	CNTRL-V	CNTRL-Z	CNTRL-Y	CNTRL-X	CNTRL-V
图像	CNTRL-X	CNTRL-V	CNTRL-M	CNTRL-N	CNTRL-X	CNTRL-V
视频	CNTRL-X	CNTRL-V	CNTRL-Q	CNTRL-R	CNTRL-E	CNTRL-R

第一个问题：哪一个设计最容易学？相当明显，设计 A 最容易。

第二个问题：哪个设计最难学？这是个比较难的问题。设计 B 比较热门因为它看起来是三者中最不一致的。然而，答案要看"最难学"的意义是什么。

如果说是"该设计使得用户上手要花最多的时间"，那么肯定是设计 B。大部分用户要花很长时间才能学会所有对应不同类型内容的剪贴快捷键。但在足够的驱动力下，比如工作要求使用这款软件，极强的适应力能够让人学会任何东西。最终，也许是一个月后，用户将很轻松和快速地使用设计 B。相比来说，设计 C 的用户只要花与设计 A 差不多短的时间，或许多出几分钟，就能够上手了。

然而，如果我们把"最难学会"解释成"该设计使得用户达到无错使用需要的学习时间最长"，那么答案就是设计 C。除了视频内容，其他类型的内容剪贴操作的快捷键都一样。虽然用户很快就能上手，但他们至少在几个月里，甚至一直会持续错误使用 CNTRL-X 和 CNTRL-V 对视频内容做操作。

虽然一些人将一致性的概念批判为定义不清和容易错误应用的设计准则（Grudin，1989），但用户界面的一致性却大大减轻了用户长期记忆的压力。马克·吐温曾经写道："如果你说一句真话，你根本不必记住任何事情。"我们也可以说："如果所有事情都一样地运作，你将不必记得多少。"在第 11 章里，我们将回到一致性的问题上。

第 8 章

注意力对思考以及行动的限制

当人们与周围的世界有目的地进行互动（包括使用电脑）时，他们的行为的某些方面会遵循一些可预测的模式，其中一些是由注意力的限制和短期记忆造成的。交互系统的设计如果能够认识到并接受这些模式，就能更好地适应用户的操作。一些直接基于这些模式的用户界面设计的准则，也就间接地建立在了短期记忆和有限的注意力之上。本章将介绍 6 种重要模式。

模式一：我们专注于目标而很少注意使用的工具

如第 7 章所解释的，我们的注意力非常有限。当人们为实现某个目标去执行某项任务时，大部分注意力放在目标和与任务相关的东西上。人们一般很少注意执行任务时所用的工具，不论使用的是电脑软件、在线服务还是交互性设备。实际上，人们仅仅是很表面地考虑所用的工具，而且只有在必要时才这样做。

我们当然能够注意自己用的工具。然而，注意力（即短期记忆）是有限的。当注意力转到工具上时，就无法顾及任务的细节了。这种注意力转移会让我们跟不上正在做的事情或者任务进度。

例如，如果你在割草时，割草机突然停止了工作，你会立刻停下来把注意力放到割草机上。重新启动割草机成了你的主要任务，你更多地注意割草机而较少地注意任何用来启动割草机的工具，就像之前你更多地注意草地而较少关注割草机一样。当割草机重新启动，你重新开始割草时，你多半忘记了你割到草地的什么地方了，但草地会提示你。

其他任务，比如阅读一个文档、量一张桌子的大小、数鱼缸里有多少条金鱼等，却未必能为被中断的任务提供一个如此清晰的提示，告诉你当前所处的进度。你可能不得不重新开始。你甚至可能完全忘记了自己刚才在做什么，而转身去做其他事情。

这就是为什么大多数的软件设计准则要求应用软件和大部分的网站不应唤起用户对软件或网站本身的注意，它们应该隐入背景中，让用户专注于自己的目标。这个设计准则甚至成了一本畅销的网页设计书的标题：*Don't Make Me Think*（Krug, 2005）（中文版书名为《点石成金》）。这个标题的意思是：如果你要让我考虑怎么用你的软件或者网站，而不是做我要做的事情，那你就失去我这个用户了。

模式二：我们使用外部帮助来记录正在做的事情

因为我们的短期记忆和注意力如此有限，我们学会了不依赖它们，而是在周围的环境中做出标记来提醒自己任务做到哪一步了。这样的例子有以下几个。

- ❏ **数东西** 如果可能，我们将已经数过的东西放到一边作为标记。如果它们移动不了，我们会用一个标识来指向数到的最后一个。为了记录东西的数量，我们数手指、画标记或者把数字写下来。
- ❏ **读书** 当停止阅读时，我们会在读到的那页插入书签。
- ❏ **算术** 我们学会用纸笔计算，或者使用计算器。
- ❏ **检查清单** 我们用检查清单来协助自己的长期和短期记忆。对关键的或不常操作的任务，检查清单帮助我们记住要做的所有事情。它们就是这样增强了我们不那么靠谱的长期记忆。执行任务时，我们会把清单中已经完成的项目一个一个划掉。这是在协助短期记忆。一个无法做标记的检查清单是不好用的，所以我们就为清单制作副本，然后在副本上做标记。
- ❏ **编辑文档** 人们经常把需要编辑的文档、正在编辑的文档和已经完成编辑的文档分别放在不同的文件夹内。

这样的模式意味着，交互系统应该分别标识出哪些是用户已经完成的，而哪些是用户还没完成的。大多数电子邮件客户端软件会有区别地标记出已读和未读邮件，大多数网站也会对是否访问过的链接做出不同的标识，而许多应用软件则是标识出多步骤任务中已经完成的部分（见图 8-1）。

图 8-1

Mac OS 软件更新显示哪些已经更新完成了（绿色打钩的）和哪些正在更新中（转动的轮子）

这个模式还意味着，交互系统应该允许用户标记或者移动对象，以便分别标识哪些是他们已经做过的，哪些是还没做过的。Mac OS 允许用户给文件分配不同颜色，就像把文件移动到不同文件夹里一样，这么做可以帮助人们记住任务做到哪儿了（见图 8-2）。

图 8-2

Mac OS 允许用户为文件或者文件夹分配不同的颜色，用户可以用颜色来记录自己的工作

模式三：我们跟着信息"气味"靠近目标

把注意力集中在目标上使得我们只从字面上理解在屏幕上看到和从电话菜单中听到的信息。人们不会深入思索指令、命令名、选项标签、图表、导航栏上的项目或者计算机工具的用户界面上的其他内容。如果脑子里想的是预定航班，人们的注意力会被屏幕上任何带有"购买"、"航班"、"机票"或者"预定"的东西所吸引。设计者或者营销人员认为可能会吸引用户的其他东西，比如"廉价酒店"，不会吸引试图购买机票的人的注意，虽然它们可能会被想赚便宜的人的注意到。

人们只会注意到屏幕上与他们的目标所匹配的东西，并且使用电脑完成任务时仅从字面上考虑的行为被称为"跟随信息的气味靠近目标"（Chi，Pirolli，Chen & Pitkow，2001；Nielsen，2003）。看一下图 8-3 中的银行自动柜员机的屏幕。当要完成图中所示的各项目标时，屏幕上哪些东西首先吸引到你的注意力？

对于以下目标，屏幕上的哪个项目会吸引你的注意呢？

- 支付账单
- 向存款账户转账
- 汇款支付牙医
- 修改密码
- 开新账户
- 购买旅行支票

图 8-3

自动柜员机。那些在字面上匹配目标的选项一开始就能吸引我们的注意力你或许注意到了列出来的目标最初把你的注意力引到了错误的选项。"汇款支付牙医"是在"Payment"（支付）还是"Transfer"（汇款）里呢？"开新账户"或许让你立刻看到"Open-End Fund"（互助基金），虽然它实际上归属于"Other Service"（其他服务）。"Request Cheque book"（申请支票本）是不是因为与目标"购买旅行支票"很相似而吸引了你的视线？

在非常多的情景和系统下观察到的这种跟随信息气味的目标导向策略，意味着交互系统应设计得具有强烈的信息气味，并且真正能引导用户实现目标。要做到这点，设计者们需要理解用户每次在做决定时目标可能是什么，并保证软件为用户的每个重要目标提供选项，并清晰地标识出各个目标所对应的选项。

例如，想象一下你想要取消一次预定或者已安排好的付款。你通过系统取消它并得到一个确认对话框问你是否确定要这么做。你希望选项怎么显示？既然已经知道人们在随信息气味接近目标时是从字面上解释信息的，标准标记为"OK"（确定）和"Cancel"（否定）的确认按钮会给出误导的气味。比较 Marriott.com 和 Quicken.com 的取消确认对话框，我们看出 Marriott.com 的标识比 Quicken.com 的提供了更清晰的信息气味（见图 8-4）。

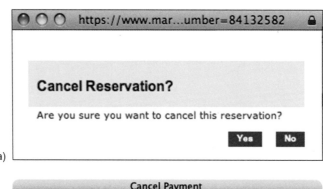

图 8-4
Marriott 的确认取消对话框（a）提供了比 Quicken（b）更清晰的气味

再举一个例子，想象一下你试着打开一个已经打开却忘记了的文档。Microsoft Excel 的设计者比 Microsoft Word 的设计者做得更好，他们预料到这种情况，明白用户此刻的目标，并提供了清晰的指令和选择（见图 8-5）。

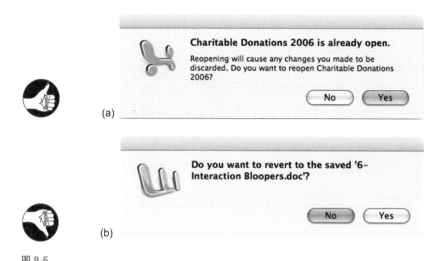

图 8-5

当用户试图打开一个已经打开的文档时，Microsoft Excel 的警告对话框（a）比 Word 的（b）更清晰明确

模式四：我们偏好熟悉的路径

人们知道自己的注意力有限，并相应地行动。要实现某个目标，只要可能，尤其是在有时间压力的情况下，我们都会采用熟悉的路径，而不是探索新路径。第 10 章里会更全面地解释，探索新的路径是解决问题，注意力和短期记忆就要承受巨大的压力。相反地，采用熟知的路径是相当自动的，也不消耗多少注意力和短期记忆。

多年前，在一个可用性测试中，一个测试者在任务执行时对我说：

我赶时间，所以我走了远路。

他知道多半有更有效的方法来做一件事，但他也知道找到捷径需要花时间和动脑子，而这两样他都不愿意承担。

一旦我们学会了采用某种方法来使用应用软件执行某个任务，我们可能就会继续这么做，不会再去找更有效的方法。甚至当发现或者被告知有"更好的"方法时，我们可能还是会用老方法，因为熟悉它，觉得舒适，而且最重要的是不需要动脑子。用电脑时不动脑子很重要。人们更愿意为了少动脑子而多敲键盘。

对交互性系统的设计来说，用户这种对熟悉的和相对不需要动脑子的路径的偏好意味着：

❏ **有时不动脑子胜过按键** 在使用银行自动柜员机或者家庭财务软件这类偶尔用或者不常用的软件时，用户应该能够很快上手，而且对他们来说，减少问题比减少击键要重要得多。这样的软件的使用频度没有高到让人在乎每个任务中所需的按键次数。另一方面，对于那些在紧张工作环境下全天使用软件的训练有素的用户，例如航班预订的电话客服人员，每个任务中的每一次的按键都在增加成本。

❏ **引导用户到最佳路径** 在第一屏或者网站主页上，软件就应把到达用户目标的路径展现出来。这基本上就是软件应提供清晰的信息气味这一准则。

❏ **帮助有经验的用户提高效率** 在用户获得经验后，应让他们能够很容易地转移到更快的路径上。在为新用户提供的较慢的路径上应显示可能的快速路径。这就是为什么大部分软件在菜单中标记出常用功能的快捷键。

模式五：我们的思考周期：目标，执行，评估

几十年来，研究人类行为的科学家们在许多行为上发现了如下周期性模式：

❏ 建立一个目标，比如开一个银行账户、吃个桃子或者在文档里删除一个单词；

❏ 选择并执行一系列实现目标的动作；

❏ 评估这些动作是否成功，即目标是否完成或者是否更接近目标了；

❏ 重复，直到目标完成（或者看起来无法完成）。

人们不断地重复循环这样的模式（Card，Moran & Newell，1993）。实际上，我们在许多不同层面上同时进行这样的周期循环。例如，试着在一个文档里插入一张图片，是完成学期报告这个大任务的一部分，而这又是完成历史课程这个更大的任务的一部分，进一步又是大学毕业这个更高目标的一部分，而这是在高一层上找到一份好工作的目标的一部分，进而又是能够过较舒适生活这个最高目标的一部分。

让我们以一个典型的电脑操作任务为例，把在线购买机票的周期过一遍。用户首先建立该任务的首要目标，然后将其分解成朝向这个目标的多个行动。有希望的操作被选出、执行，然后评估它是否让用户更靠近目标了。

❏ **目标** 通过你最喜欢的旅行网站，购买去柏林的飞机票。

❏ **第一步** 去旅行网站。你离目标还很远。

❏ **第二步** 搜索合适的航班。这是旅行网站普遍可预期到的步骤。

❏ **第三步** 查看搜索结果。从列出的航班中选出一个。如果没有搜索到合适的航班，回到第二步用新的条件搜索。虽然还没达到目标，但你有信心。

❏ **第四步** 去结算。现在你已经离目标近得可以闻到它了。

□ **第五步** 确认航班信息。确认所有具体细节都正确，如果不是，返回，否则继续。几乎就要完成了。

□ **第六步** 用信用卡购买机票。确认信用卡信息，都好了吗？

□ **第七步** 打印电子机票。目标完成。

在购买机票的例子里，为了简洁，我们没有展开每一步的细节。如果展开，我们能够看到每一步内都有更小的步骤以同样的"目标-执行-评估"的周期进行。

让我们试试看另一个例子，这次检视一些高层步骤内的细节。这次的任务是给一位朋友送花。如果仅仅看顶层的步骤，我们看到的是：

给朋友送花。

如果我们要检视这个任务的目标-执行-评估周期，就必须将其分解。首先得问，如何把花送给朋友？要回答这个问题，就要把顶层任务分解成子任务。

给朋友送花。
　　找到鲜花递送网站。
　　订购鲜花并寄送给朋友。

大多数情况下，我们确定的这两步已经够细了。在每个步骤执行之后，我们评估是否接近了目标。但每一步又是如何执行的呢，要了解这点，我们必须将每个大步骤分解成小目标，再将小目标分解成多个子步骤。

给朋友送花。
　　找到鲜花递送网站。
　　　　打开浏览器。
　　　　访问 Google 搜索页面。
　　　　在 Google 搜索页面输入"鲜花递送"。
　　　　检查搜索结果的第一页。
　　　　浏览列出的一些链接。
　　　　选择一个鲜花递送服务。
　　订购鲜花并寄送给朋友。
　　　　检查在鲜花递送服务网站上提供的可选的鲜花。
　　　　选择鲜花。
　　　　指定递送的地址和日期。
　　　　为鲜花和递送服务付款。

在每一个子步骤执行后，我们都评估一下它是否让我们更接近它所属的子目标。如果我们要查看每一个子步骤是如何被执行和评估的话，就要将其当做一个"子—子"任务并分解成构成它的步骤。

> **给朋友送花。**
>> **找到鲜花递送网站。**
>>> 打开浏览器。
>>>> 点击浏览器在任务栏、开始菜单或者桌面上的图标。
>>> 访问 Google 搜索页面。
>>>> 如果 Google 不是浏览器的起始页面，到收藏夹里找 Google。
>>>> 如果 Google 不在收藏夹里，在浏览器的地址栏里输入 google.com。
>>> 在 Google 搜索页面输入"鲜花递送"。
>>>> 点击搜索输入框。
>>>> 输入文字。
>>>> 修改拼写错误，把"献花"改为"鲜花"。
>>> 浏览列出的一些链接。
>>>> 移动光标到链接。
>>>> 点击链接。
>>>> 查看得到的网页。
>>> 选择一个鲜花递送服务。
>>>> 在浏览器里输入所选的递送服务的网站地址。

你应该大致明白了。我们可以如此不断扩展，一直具体到每个字符的输入和鼠标的移动，但实际上不需要到这么细节的地步就能很好地理解任务，从而将软件设计为符合每一步和其目标-执行-评估周期的产品了。

软件该如何帮助用户完成这样的目标-执行-评估周期呢？可以用以下任一方式。

❏ **目标**　提供完成软件为用户所设计的目标需要的清晰路径，包括起始步骤。

❏ **执行**　软件中的概念（对象和动作）应该基于任务而不是如何实现（见第 11 章）。不要逼迫用户去搞清楚软件里的对象和动作是如何对应到要执行的任务的。在每个需要为实现目标做选择的节点上提供清晰的信息气味。

❏ **评估**　向用户提供进度反馈和状态信息。能让用户离开那些不能帮助实现目标的操作。

举一个关于"评估"准则的例子，ITN 的航班预定系统通过一系列的步骤向用户提供清晰的进度反馈（见图 8-6）。顺便提一下，这张图看起来是否很熟悉？如果你觉得是，那是因为你在第 5 章（见图 5-15b）见过它，而且你的大脑认出了它。

图 8-6
ITN 的航班预定系统清晰地指示出用户在做预定时的进度

模式六：完成任务的主要目标之后，我们经常忘记做收尾工作

目标-执行-评估周期与短期记忆有着强烈的相互影响。这种相互影响是非常有道理的，因为短期记忆正是任一时刻我们的注意力的焦点。这焦点的一部分就是我们当前的目标，其他的注意力则被投放在获取完成目标所需的信息上。注意力随着任务的执行而转移，当前目标则随着高层的目标转移到下一层目标上，然后再回头转移到下一个高层目标上。

注意力是个非常稀缺的资源。我们的大脑不会把注意力放在一个不再重要的事情上。因此，当我们完成一个任务后，之前专注于完成这个任务的注意力将被释放并转移到当前更重要的信息上。一旦完成了某个目标，我们就感觉与这个目标相关的所有事情经常立刻就从我们的短期记忆中"滑落"了，也就是被忘记了。

注意力转移的结果之一就是人们经常忘记任务的扫尾工作，例如，人们经常忘记做以下这些事情：

- ❑ 抵达目的地后，忘记把汽车的前灯关掉以免消耗电池电量；
- ❑ 从复印机或扫描仪上拿掉最后一页文档；
- ❑ 在用过之后把炉子和烤箱关掉；
- ❑ 在输入括号内的文字内容后添上闭括号；
- ❑ 下飞机前把在旅途中读的书带走；
- ❑ 在公共场所使用电脑后注销账号；
- ❑ 在特殊模式下使用设备或者软件后转到普通状态。

这些任务尾巴上短期记忆失效是完全可以预计到，并且是可以避免的。当它们发生时，我们说自己"健忘"，但在缺少设备支持的情况下，我们的大脑实际上就是如此工作的。

要避免这样的失误，交互系统可以也应该设计成能对还没做彻底的事情做出提醒。某些情况下，系统甚至可以自己完成扫尾工作。比如：

- ❑ 汽车在转过弯后，自动关闭转向灯；
- ❑ 在停下不用后，汽车应该（现在已经做到了）自动关闭前灯，或者至少提醒司机灯还亮着；
- ❑ 复印机和扫描仪在完成工作后，应自动退出所有文档，或者至少提醒还有一页没有被取走；

- 在没有煮任何东西而开了超过一定时间后，炉子应发出警报，而烤箱在其中没有任何东西时也应如此；

- 在还有未结束运行的后台程序，例如保存文件或者传送文档到打印机时，用户如果试图关闭电脑或者让电脑进入休眠模式，电脑应警告用户；

- 软件应从特殊模式自动恢复到"正常"模式，可以像某些设备那样使用设定超时的方式，或者使用弹簧式控件，它们必须手动进入非正常状态并且一旦松手就会恢复到正常状态。

软件设计者应该考虑，他们设计的系统所支撑的任务中，是否有用户可能会忘记的扫尾工作。如果有，那么应该把系统设计成能够帮助用户记住，或者根本不需要用户记住。

第 9 章

识别容易，回忆很难

第 7 章介绍了长期记忆的优势和限制，以及它们对交互系统设计的影响。本章将进一步针对长期记忆的两个功能——识别和回忆之间的重要区别进行深入讨论。

识别容易

经过上百万年的进化，人脑已经被"设计"得能够很快地识别出物体。相反，在没有感觉的支持下找回记忆，对生存来说一定是不重要的，因为我们的大脑一点也不善于回忆。

还记得我们的长期记忆怎么工作的吧（见第 7 章）：感觉通过我们的感官系统产生的信号在到达大脑后，激发了复杂的神经活动模式。感觉产生的神经活动模式不仅由感觉的特征，也由其产生的环境决定。在相似的环境下，相似的感觉产生相似的神经活动模式。对特定的神经活动模式反复地激活能让它在将来更容易被激活。神经活动模式之间的联结随着时间发展，使得一个模式的激活能够引起另一个模式的激活。简单地说，每个神经活动模式构成不同的记忆。

神经活动模式，即记忆，能够通过两种方式激活：(a) 更多从感官来的感觉；(b) 其他大脑活动。如果一个感觉与之前的相似并且所处环境足够接近，就能触发一个相似的神经活动模式，从而产生认识的感觉。在核心上，识别就是感觉与长期记忆的协同工作。

因此，我们能够很快地评估情况。我们在东非大草原上的远祖只有一两秒的时间来判断草丛中出现的动物是他们的食物还是会把他们当做食物（见图 9-1）。他们的生存依赖这样的能力。

类似地，人们能够非常快地识别人脸，通常在几分之一秒内。直到不久前，这个过程背后的原理还被认为是个谜。科学家此前假设，识别的过程是被识别的脸存储在一个独立的短期记忆里，并与长期记忆里的人脸进行比较。大脑识别人脸的速度如此之快，因此认知科学家认为大脑一定是对长期记忆的许多部分同时进行搜索，用计算机科学家的术语就是"并行处理"。然而，即使是大规模并行搜索，也无法达到人脸识别的惊人速度。

图 9-1

早期人类必须能够非常快地分辨出发现的动物是食物还是肉食动物

　　现在，感知和长期记忆已经被认为是紧密联系的，这就多少解开了人脸识别速度之谜。一张被感觉到的脸触发了百万个神经元的不同模式。组成这些模式的各个神经元和神经元组对具体的脸部特征和脸部所处环境做出反应。不同的脸触发不同的神经元反应模式。如果一张脸曾经见过，它所对应的神经活动模式就已经被激活过。同样的一张脸再次被感觉到后会重新激活同样的神经活动模式，现在只会比之前更容易识别。这就是识别。这就没有到长期记忆里搜索的必要了：新的感觉或多或少地重新激活了之前感觉产生的同样模式的神经活动。一个模式的再次激活就是其对应的长期记忆的再次激活。

　　套用计算机术语，我们可以说人类长期记忆中的信息是通过内容来寻址的，但"寻址"这个词错误地暗示了每个记忆都处于大脑的某个具体位置。实际上，每个记忆对应的是一个散布于大脑很大区域内的神经活动的模式。

　　这也就解释了这个现象：当展示给我们从未见过的脸并问看起来是否熟悉时，我们不需要花多长时间搜索记忆，试着找出这张脸是否被存储在某个地方（见图 9-2）。这里没有搜索。一张新的脸孔触发的一个之前没有被触发过的神经活动模式，也就没有识别结果的感觉。当然，一张新的脸孔可能与我们曾经见过的某张脸非常相似而导致错误的识别，或者足够相似到这张新面孔触发的神经活动模式激活了一个类似的模式，让我们产生了回忆起某个我们认识的人的感觉。

图 9-2
你需要多长时间来判断你不认识这两张脸？[1]

让我们的视觉系统在识别脸孔上如此快速的机制也能让我们非常快地识别复杂图形。任何接受过高中教育的人都能够很快地识别出一张欧洲地图和一副棋盘（见图 9-3）。研究象棋历史的象棋大师们可能还能识别出 1986 年卡斯帕罗夫与卡尔波夫的对局。

图 9-3
我们可以很快地识别复杂的图形

回忆很难

与识别相反，回忆是在没有直接类似感觉输入时，长期记忆对神经模式的重新激活。这要

---

① George Washington Carver（美国科学家、教育家和发明家）和一张普通的男性脸孔（FaceRearch.org）。

比用相同或者接近的感觉去激活要困难得多。人们能够回忆，因此显然能够从其他模式的神经活动或者大脑其他区域的输入去重新激活对应某个记忆的神经活动模式。然而，回忆所要求的协调与时间提高了激活错误模式或者只有部分正确模式被激活的可能性，从而导致无法回忆。

不论可能的进化上的原因是什么，我们的大脑没有进化回忆事实的能力。许多学童们不喜欢历史课，因为历史课要求他们记住事实，例如英国大宪章是哪一年签署的、阿根廷的首都是哪座城市以及美国所有州的名字。他们不喜欢这些并不奇怪；人脑是不适合担任这样的任务的。

因为人们不善于回忆，所以他们开发了许多方法和技术来帮助自己记住事实和步骤（见第7章）。古希腊的演讲者采用"轨迹法"来记住长篇大论中的要点。他们想象有一座庞大的建筑或者广场，心中想象在那里的不同地方放置他们演讲的要点。在演讲时，他们在心中依次"走"过这些地方，在经过时"捡起"被放在那个位置的要点。

如今，相对于内部方法，我们更多地依靠外部的帮助。当今的演讲者们将他们的要点记录在纸上，或者将它们显示在投影仪或演讲软件中。商家用账本记录他们拥有的资金、欠款或者债权。我们通过通信簿来记住亲朋好友的联系方式，用日历和闹钟来记住约会、生日、纪念日和其他事件。电子日历最适合用来记住约会，因为它们能够主动提醒我们，不需要我们主动去查看。

识别与回忆对用户界面设计的影响

相对回忆，我们能够更轻松地识别，这是图形用户界面（GUI）的基础（Johnson et al, 1989）。GUI 基于下面两个著名的用户界面设计规则。

□ **看到和选择比回忆和输入要容易** 对用户显示可选项并让他们从中选择，而不是强迫用户回忆出他们的选项再告诉电脑。这个规则是 GUI 能够在个人电脑中几乎完全替代命令行用户界面（CLI）的原因（见图9-4）。"识别而不是回忆"是 Nielsen & Molich（1990）在用户界面评估上被广泛采用的经验之一。相对地，使用语言来控制应用软件有时能比 GUI 具有更强的表达力和更高的效率。因此回忆和输入仍然是一个有用的手段，特别在用户能够轻松记起输入什么的情况下，比如在搜索框里输入关键词。

□ **尽可能使用图像来表达功能** 人们能够快速识别图像，而且对图像的识别也触发了对相关信息的回忆。因此，当今的用户界面经常使用图像来表达功能（见图9-5和图9-6），比如桌面或者工具栏上的图标、错误符号和图形化的选项。能够从身边现实世界中识别的图像很有用，因为不需要学习，人们就能够识别它们。只要它们所代表的熟悉意义与电脑系统中的对应的含义能够匹配上，就能被很好地识别（Johnson，1987）。然而，使用与现实世界中相似的图形并不是绝对关键的。只要图形设计得够好，电脑用户能够学会将新的图标和符号与它们所代表的意义联系起来。可以记住的图标和符号能够对它们代表的意义做出提示，能与其他图标和符号区别开来，并且即使在不同的应用中也能一致地表达同样的含义。

回忆并输入：

> copy doc1 doc2

> remove olddoc

看到并选择：

图 9-4

当今 GUI 的主要设计规则："看到并选择要比回忆和输入更容易。"

图 9-5

使用现实世界中的对象或者经验的类比，桌面图标通过识别来传达功能

图 9-6

Wordpress.com 使用辅以文字的符号标记出功能性页面

在 20 世纪 70 年代中发展起来的 GUI，在几十年前（20 世纪 80 年代到 90 年代）就被广泛地使用。在那之后，更多基于人类认知，特别是识别与回忆的设计规则被提出来。本章最后介绍一部分这些新规则。

使用缩略图来紧凑地描绘全尺寸的图像

识别对象和事件对展示时所用的尺寸并不敏感，我们毕竟必须要在不同距离下都能够识别出对象。重要的是特征：只要大部分同样的特征在新的图像和原始图像中都出现了，新的感知就会触发同样的神经活动模式，从而产生识别。

因此，一个向人们展示他们见过的图片的非常好的显示方式就是使用小的缩略图，对一张图越熟悉，它的可识别的缩略图就可以越小。显示缩略图而不是全尺寸的图形能让人们一次看到更多的选项、数据和历史等信息。

照片管理和演讲辅助软件使用缩略图向用户展示他们的照片和演示页面的全貌（见图 9-7）。网页浏览器使用缩略图向用户显示他们最近访问过的页面（见图 9-8）。

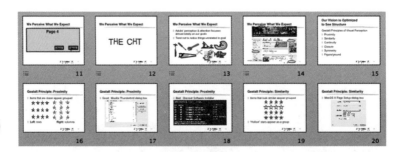

图 9-7
微软公司的 PowerPoint 能够将演讲页面以缩略图方式显示，在可识别的基础上提供了演讲页面的全貌

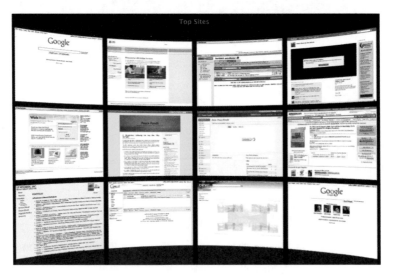

图 9-8
为了提供快速的识别和选择，苹果公司的 Safari 浏览器将最近访问的页面以缩略图方式显示

越多人使用的功能，应该越可见

基于之前描述的原因，回忆经常失败。如果一个软件隐藏了它的功能并要求用户回忆如何操作，部分用户就无法使用它。如果这个软件有许多用户，即使这部分无法使用的用户所占百分比很小，加起来也是相当大的数字了。软件设计者们显然不希望有相当多的用户无法使用他们的产品。

解决方案是让许多人需要的功能高度可见，用户就能看到并识别出可有的选择而不是必须去回忆它们在哪儿。相反，少数特别是充分训练的人才会使用的功能，可以隐藏起来，比如放在"详细"面板、右击菜单中，或者通过特殊的键盘组合操作才显示出来。

使用视觉提示让用户知道他们所处的位置

视觉识别是快速且可靠的，因此设计者们可以使用视觉提示来实时地告知用户他们当前所处的位置。例如，网页设计的常见规则要求网站所有页面都应有一个通用的特定的视觉风格，让人们轻松地判断出他们是在这个网站内，还是已经在访问另一个网站了。一个网站在视觉风格上细小但系统的变化能够告诉用户他们当前在网站的哪个部分。

一些桌面操作系统允许用户搭建多个桌面（"房间"或者"工作空间"）作为不同类型工作的位置。为了方便识别，每个桌面都有其自己的背景图片。

一些企业网站使用图片向用户确认他们在一个安全网站里。用户先选择一张图片作为个人账号的图标，在通过 cookie 识别出用户或者在用户输入合法登录账号但还未输入密码时，网站显示出该用户选择的图标（见图 9-9）。这让用户知道他们的确是在真正的公司网站上而不是一个虚假的钓鱼网站上。

让认证信息容易回忆

人们知道很难回忆出任意的事实、单词和字母或者数字的序列。这就是为什么他们经常将密码和安全问题的答案记录在方便获取的地方，这就不安全。他们或者会将孩子姓名的首字母、他们的生日、街道地址以及其他他们知道自己能够回忆出的信息作为密码。不幸的是这样的密码太容易被其他人猜到了（Schrage，2005）。设计者们该如何帮助用户避免这样不安全的行为呢？

一开始，我们至少可以让用户在回忆登录信息时容易些，而不是像在第 7 章里提到的系统那样，强加繁重的密码限制或者提供有限的安全问题选项。

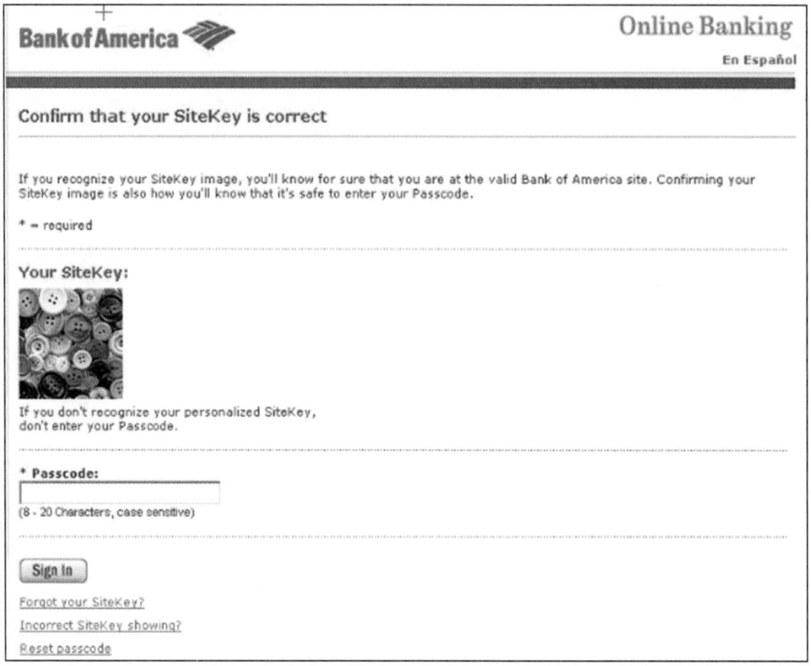

图 9-9

BankOfAmerica.com 向识别出的用户显示他们自己选择的账户图标（SiteKey），以此来确认他们访问的的确是银行的真实网站

相反，我们可以让用户自由地选择他们能够记住的密码，能够记住的安全问题和正确的答案。我们也可以让用户自己提供密码提示，假设用户能在系统显示它时作为回忆密码的帮助，而同时又不将密码泄露给第三方。

不需要用户回忆认证数据的认证方式看起来是个解决办法。生物识别的认证方式，比如虹膜扫描、数字指纹扫描和语音识别就属于这个类型。然而，许多人将它们视为对隐私的威胁，因为这些方式要求采集和存储个人的生物识别数据，也就有信息泄露和滥用的可能。因此虽然生物识别认证不增加用户记忆的负担，但要做到被广泛接受，其实现方式必须达到严格的隐私保护要求。

第 10 章

从经验中学习与学后付诸实践容易，解决问题和计算很难

从前一章中对识别与回忆的比较中可以看到，人类大脑擅长某些事情而不擅长另一些。在本章中，我们将对大脑的更多功能进行比较，来看看其中哪些做得较好，以及如何有针对性地设计计算机系统。首先，让我们再多了解一些人脑和心智。

我们有三个大脑

我们其实有三个脑，或者说，有一个由三大部分组成的大脑，分别影响我们的思维和行为的不同方面（Weinschenk，2009）。

❏ **旧脑** 主要是脑干，即脊髓进入大脑底部的地方。随着第一条鱼进化出来，脑干就出现了（鱼类出现之前的昆虫和软体动物没有通常意义上的大脑）。旧脑将所有东西分成三类：可以吃的、危险的以及性感的。它也负责调节身体的自动功能，例如消化、呼吸和反射活动。爬行动物、两栖动物和大部分的鱼类只有旧脑。

❏ **中脑** 大脑的这部分被称作"中脑"有两重意思：(a) 物理上，它居于旧脑之上和大脑皮层之下；(b) 在进化的顺序上，它在旧脑之后和新脑之前。中脑控制着情绪，对事物产生愉悦、难过、害怕、竞争意识、忧虑和愤怒等。鸟类[①]和低等哺乳动物只有旧脑和中脑。

❏ **新脑** 这部分主要由大脑皮层组成。它控制着有目的、有意识的活动，包括制作计划等。大部分的哺乳动物在旧脑和中脑之外还有新脑，但只有小部分高度进化的哺乳动物

[①] 鸦科动物（渡鸦、乌鸦和喜鹊）和鹦鹉的一些种类（比如新西兰鹦鹉）没有大脑皮层，但它们的大脑比其他鸟类的要大。它们经常展示出与大象、海豚和猿猴同等的智能。在这些鸟类中，大脑的其他部分显然提供了大脑皮层对哺乳动物起的作用。

如大象、海豚、鲸以及猴子、猿人和人类才拥有相当大的新脑。

人类的心智不是完全理性和有意识的，一些专家声称它甚至大部分是不理性和无意识的。旧脑和中脑对我们的思维和行为的影响至少与新脑的一样大。当我们感觉到某个东西（物体或者事件）时，所有三个"脑"都做出反应并参与我们的思维和行为。实际上，旧脑和中脑的反应比新脑快，因此有时在大脑皮层做决定甚至做出反应之前，我们就按照旧脑和中脑的指挥行动了。

从经验中学习（通常）是容易的

人们善于从具体的经验和观察中概括并得出结论，生活中我们就在不断地概括总结。

同识别与回忆的神经学基础相比，我们对行为学习的神经学基础了解得还不够深入（Liang et al.，2007）。然而，人们经常意识不到自己在不断地从经验中学习。从这个事实上我们可以假定人类大脑进化出了快速和容易地从经验中学习的能力，因为这个能力在进化上具有优势。因此，大部分人在有了足够多的经验之后，能够容易学到类似这些教训。

- ❏ 远离豹子。
- ❏ 不要吃有异味的食物。
- ❏ 冰淇淋很好吃，但天热时融化得很快。
- ❏ 等上一天后再回复那些让你生气的邮件。
- ❏ 不要打开来自陌生人的邮件中的附件。
- ❏ LinkedIn 这个网站很有用，但 Facebook 这个网站完全就是浪费时间（或者根据你的喜好，正好相反）。

然而，我们从经验中学习的能力并不完美，这有几个原因。第一，对复杂的情况，比如那些涉及了很多可变因素或者受许多难以预料的外界因素影响的情况，人们很难做出预测，或者从中学习并概括。例如：

- ❏ 有经验的股票投资者仍然不确定现在该买或卖掉哪些股票；
- ❏ 在丹佛市生活多年的人们仍然无法预计那儿的天气变化；
- ❏ 虽然在不同场合下你与你妹妹的男朋友沟通过几次，但你还不能确定他到底是不是个好人。

第二，从自己生活中或者亲人好友们那里获得的经验要比那些读到的或者听到的经验对我们更有影响力。例如，我们可能读到或者听过报道、消费者的评价以及统计数据指出丰田 Prius 是一款好车，但如果姐姐或者叔叔曾经有过关于它的不好的经验，我们对这种车或许就有了负面的评价。我们这么做是因为我们的中脑认为家庭成员与自己更相似，也就比其他成千上百不知名的消费者更可信，虽然从理性的角度看，统计数据要可靠得多（Weinschenk，2009）。

第三，当人们犯了错后，并不总能学到正确的教训。当发现自己处于一个糟糕的处境时，他们并不能很好地记起最近的行为从而将自己当前的处境与真正的原因联系起来。

人们从经验中学习的第四个问题是他们经常过度概括，即片面地总结。例如，许多人因为见过的乌鸦都是黑的就想当然地认为乌鸦都是黑的。实际上存在不是黑色的乌鸦（见图 10-1）。

图 10-1
"天下乌鸦一般黑"这个常识是错的。左：非洲杂色乌鸦（摄影：Thomas Schoch）。右：白色（非白化病的）乌鸦，俄亥俄州

然而，过度概括也可以说并不是问题，而是个优点。几乎没有人能够见到某件事物所有可能的例子。例如：一个人不可能见过所有的乌鸦，但在日常生活中（虽然在科学研究中不是），他见过的乌鸦多到足以认为所有乌鸦都是黑的，这样的假设还是有用的。因此，过度概括看起来是对现实世界的必要的适应。我们让自己因过度概括而陷入麻烦的首要原因是用极端方式进行过度概括，例如基于一个例子或者非典型例子就做出概括。

从经验中学习的能力有着漫长的进化史。要做到这点，一个生物并不需要有大脑皮层（即新脑）。旧脑和中脑就能从经验中学习。即使是昆虫、软体动物和蠕虫，连旧脑都没有，仅靠几个神经元簇就能从经验中学习。然而，只有拥有了大脑皮层或者具备类似功能[1]的大脑的生物才能够从其他生物的经验中学习。要想意识到自己是从经验中学习，大脑皮层就肯定是必需的。只有拥有最大（相对于身体大小）新脑的生物（这可能仅限人类），才能够准确地表达出他们从经验中学到了什么。

---

① 这个例外的原因是一些鸟类能够从观察其他鸟类中学习。

虽然我们从第一手经验以及从他人的经验中能学到的东西是有限的，但毕竟从经验中学习并概括对人类的心智来说还是相对容易的。

操作已经学会的动作是容易的

当我们到了一个之前去过很多次的地方，或者做一件已经做过很多次的事情时，我们的行为几乎是无意识的，不需要多少主动意识。路线、例行动作、操作程序都成为半无意识或者全无意识的。以下便是一些例子。

- 骑很多年自行车。
- 第三百次从车库倒车后驱车上班。
- 作为一个成年人刷牙。
- 用一个乐器演奏一首已经练习了上百次的曲子。
- 经过几天的练习后，使用鼠标或者触摸板去移动屏幕上的光标。
- 用熟悉的银行账户管理软件输入一笔交易。
- 在长期使用的移动电话上阅读并删除一条短信。

实际上，"无意识的"被认知心理学家用来表达例行动作和熟练掌握的行为（Schneider & Shiffrin, 1977）。研究者们已经确定执行这些操作消耗很少甚至不消耗主动意识的认知资源，也就是说并不受第 7 章所描述的注意力和短期记忆的限制。

无意识的活动甚至能够与其他活动并行处理。这就是为什么你能够在打鸡蛋时一边哼一首熟悉的歌曲一边用脚打着拍子，同时能够自如地看着孩子，或者计划将要开始的假期。

一个活动是怎么成为无意识的？就像为了能去卡内基音乐大厅表演一样（就像那个老笑话说的）：训练，训练，还是训练。

当一个人第一次尝试开车，特别是手动档的车时，每一步骤都要全神贯注。我挂到正确的档位了吗？该用哪只脚踩油门、刹车和离合器？这几个脚踏分别该用多大的力气踩？我现在踩离合器的力度有多大？现在该朝哪个方向开？前面、后面和两边都有什么？该从后视镜看哪个方向？我要去的那条街出现了吗？"后视镜里的物体实际上比看起来更近些"这句话是什么意思？仪表盘上那个闪着的灯是什么？

当开车时所涉及的所有东西都是有意识的时，要对它们面面俱到就远远超过了我们注意力能够承受的范围，还记得我们能承受的是四个东西，加上或者减去两个吗？（见第 7 章。）还在学习驾车的人经常感到招架不住。这就是为什么他们经常在停车场、乡下和安静的住宅区练习，这些地方的车很少，能够减少他们不得不注意的东西。

经过大量的练习之后，驾车所要求的动作都成为无意识的了。它们不再争抢注意力，也从有意识中减弱了。我们甚至可能无法完全意识到自己在做这些动作，比如你用哪只脚踩的油门？要记起来，你可能不得不稍微动动你的脚。

类似地，当音乐老师在教学生演奏乐器时，不会要求学生注意和控制演奏中的每一个方面，因为那很容易超出学生们的注意范围。相反，老师要求学生将注意力仅仅专注于演奏的一两个方面：正确的音调、节奏、音色或者节拍。只有在学生掌握了不去想就能演奏的某些方面之后，老师才会要求他们再同时掌握其他更多方面。

要演示所需要的有意识的注意力在熟练掌握的（无意识的）与新的（受控的）任务中的差别，试试这些。

- ❑ 背诵从 A 到 M 的所有字母，再背诵从 M 到 A 的所有字母。
- ❑ 从 10 倒数到 0（想象火箭发射），然后再倒数从 21 到 1 的奇数。
- ❑ 走平时常走的路线开车上班，第二天走另一条不熟悉的路线。
- ❑ 用你通常抛球的手扔出一粒球，再换另一只手扔。
- ❑ 用标准 12 键的电话号盘输入你的电话号码，再用电脑键盘顶部的一排数字键输入一次。
- ❑ 用电脑键盘输入你的全名，再交叉着双手在键盘上输入一次（其实我想建议双手交叉骑自行车，但这太危险了，就不建议了）。

现实中大部分的任务由无意识的和受控的部分组合而成。沿着日常路线开车上班几乎是无意识的，这使你能关注新闻广播或者考虑晚饭的安排，但如果旁边另一辆车做出意外动作或者一个孩子出现在前方路面上，你的注意力就会被猛然拉到开车的任务上。

类似地，当用你日常的邮件客户端程序查收邮件时，读取邮件的动作是经常性的也几乎是无意识的，阅读文字是熟练和无意识的，但每一封刚刚收到的新邮件的内容是新的，就要求你有意识地参与。如果在度假时你去了一家网吧，使用一个不熟悉的电脑、操作系统或者邮件客户端查收邮件，这时能够无意识进行的操作很少，于是就要求你进行更多的有意识的思考，花更多的时间，也更容易出错。

当人们想要把更多事情做完时（而不是挑战自己的脑力），为了节省时间和脑力，也为了减少犯错的机会，他们倾向用那些无意识的或者至少半无意识的方法。如果你赶时间去学校接孩子，即使邻居昨天告诉过你另外一条更快的路线，你还是会走自己平时常走的路线。记得可用性测试的测试员曾说过的（在第 8 章中提到）：

我赶时间，所以我走了远路。

一个交互系统的设计者该如何将任务设计得更快、更容易和更少出错呢？答案就是把任务的操作设计得能够很快使其成为无意识的。那又如何做到这一点呢？第 11 章介绍了一些方法。

解决问题和计算是困难的

爬行动物、两栖动物和大部分鸟类仅靠着旧脑和中脑[1]就能在它们的世界里很好地生存下来。昆虫、蜘蛛和软体动物靠着更少的脑在各自的环境中也做到了。没有大脑皮层（或者像一些鸟类，大脑有提供类似功能的部分）的动物可以从经验中学习，但通常要通过大量的经验，且只能学会对行为做很小的调整。它们的大部分行为是定型的、重复的，而且一旦了解了它们对环境的要求，它们的行为也是可预测的（Simon，1969）。当环境仅仅要求它们已经掌握了的无意识行为时，它们就能很好地生存。

但如果环境在它们毫无防备之时发生变化，要求新的行为，并且要求立刻就变呢？如果一个生物面对它从来没有遭遇过而且可能不会再遇到的情况呢？简短地说，如果面对问题，怎么办？这时，没有大脑皮层，也没有可提供类似功能的脑区的生物就无法适应。

拥有大脑皮层能够让生物脱离对本能的、被动反应的、无意识的和熟练行为的完全依赖。大脑皮层是有意识地进行推理的地方（Monti，Osheron，Martinez，& Parsons，2007）。总的来说，一个生物的大脑皮层相对其大脑之外的身体的比例越大，它的以下能力就越强：推理和分析即时情况、计划或者寻找策略以及步骤去应对情况、执行策略和步骤并且监控进展。

用计算机术语来说就是：拥有大脑皮层给了我们为自己即时创造程序，并在仿真的、高度监控的，而不是编译了的或者原生的模式下运行这些程序的能力。这在本质上就是我们按照菜谱做菜、玩桥牌、计算收入所得税、按照软件使用手册的指令执行操作，或者排查电脑在玩游戏时不出声的问题时所做的事情。

新脑也充当了冲动行为的刹车器

新脑，尤其是前额叶，也起着对反射和冲动行为的抑制作用，这些来自中脑和旧脑的冲动行为会干扰新脑仔细规划出的计划的执行（Sapolsky，2002）。在一位带着异味的人进入地铁车厢时，新脑能阻止我们跳起来并逃离车厢，因为我们毕竟要准时上班打卡。新脑也能让我们在古典音乐会上安静地坐在位子上，在摇滚演唱会上站着尖叫和呐喊。新脑帮助避免我们打架（通常），它阻止我们出手买那辆红色运动跑车，因为维护婚姻的优先级比拥有那辆车的优先级更高。当旧脑和中脑被一封写着"一个价值 1250 万美元的商业机会"的邮件所诱惑时，新脑能够阻止我们点击那封邮件，告诉我们："这是一封钓鱼邮件，你懂的。"

---

[1] 例如，火蜥蜴选择装了四只而不是装了两只或者三只果蝇的罐子（Sohn，2003）。

虽然拥有一个大的新脑让我们能够灵活地在短时间内处理问题，但这灵活性也有代价。从经验中学习与操作熟练掌握的动作很容易，是因为它们不要求不间断的主动意识或者专注的注意力，也因为它们能够并行进行。相对地，受控的处理，包括解决问题与计算，需要专注的注意力和不间断的有意识地监控，并且相对较慢和顺序地进行（Schneider & Shiffrin，1977）。这就拉紧了我们短期记忆的限制，因为执行指定步骤所需的所有信息块为了争夺稀少的注意力资源而相互竞争。这就要求有意识的心智上的努力，就如你被要求从 M 到 A 倒序背诵字母表。

用计算机术语来说，人脑只有一个顺序处理器用以在仿真模式下执行受控进程。这个处理器的临时存储在容量上非常有限，并且它的时钟要比大脑高度并行和编译的自动处理过程慢一个数量级。

现代人是从 20 万 ~50 万年前的原始人类进化来的，但直到公元前 3400 年左右，人们才在美索不达米亚（现今的伊拉克）发明了数字与数值计算，并开始在交易中使用。那时候，人类大脑基本与今天人类的大脑一样了。既然人类大脑在数值计算出现之前就已完成进化，也就不可能是为计算而优化的了。

计算主要发生在大脑的受控的模式下，它消耗注意力和短期记忆的稀缺资源，因此当我们尝试完全只在大脑中进行计算时，我们就遇到了问题。例外的是一些计算步骤可以被记住因此是无意识的，比如，对 479×832 的计算的整个过程是受控的，但其中一些步骤是可以无意识的，如果我们能记住一位数的乘法表的话。

对于有些问题和计算，大部分人还是可以在脑子里进行处理的。比如有些问题和计算仅需要一两步就能解决的，或者一些解答步骤是可以记住的（无意识的），或者不需要太多信息，又或者有些问题所有需要信息都能及时获得（不需要保留在短期记忆中）。举例如下。

❑ $9 \times 10 = ?$
❑ 需要把洗衣机从车库里移出来，可是车挡了道，车钥匙放在衣服口袋里，该怎么办？
❑ 我的女友有两个弟弟，Bob 和 Fred。我见过 Fred，但现在面前的这位不是 Fred，所以他一定是 Bob。

然而，当问题的要求超出了短期记忆，或者要求必须从长期记忆里提取一些信息，或者期间受到了打扰，脑的负荷就增加了。举例如下。

❑ 需要把洗衣机移出车库，可是车挡了道，而我的车钥匙在……哦……不在我的口袋里，它们在哪？……（搜索车内）也不在车里。也许放到了夹克口袋里了……可是夹克放哪去了？（在房子里找夹克，最后在卧室里找到了。）好了，找到车钥匙了。……天呐，卧室可够乱的，得在老婆回来前清理好……哦，等等，我为什么要车钥匙？（返回车库，看到了洗衣机。）哦，对了，把车移开好把洗衣机移出车库。（高层的任务被间接任务推挤出了短期记忆。）

- 第 8 章给了一些任务的例子，其中人们在完成主要目标后必须记得做完所有的收尾工作，例如，达到目的地后记得把车前灯关掉，或者复印后记得把最后一页纸从复印机中取出。

- 约翰的猫不是黑色的，还喜欢牛奶。苏的猫不是棕色的，不喜欢牛奶。山姆的猫不是白色的，也不喜欢牛奶。玛丽的猫不是黄色的，喜欢牛奶。有人发现了一只黄色的喜欢牛奶的猫。这会是谁的？[①]（否定句式创造了更多的信息块，大部分人的短期记忆一次没法装下那么多。）

- 某人搭建了一栋有四面的房子。所有四面墙都朝南。一只熊经过。熊是什么颜色的？（需要推导，并且需要知道和获取具体的关于世界与野生动物的一些事实。）

- 你要精确地量出 4L 水，但只有一个 3L 的和一个 5L 的瓶子。如何做到？（需要在头脑中模拟一系列的倒水动作直到找出正确的步骤，这就对短期记忆造成压力，甚至超出了脑的模拟能力。）

　　当解决问题时，人们经常使用外部记忆作为辅助，例如记下中间的计算结果、画草图和摆弄问题的模型。这些工具增强了我们有限的短期记忆和有限的摆弄问题中元素的想象能力。

　　如果需要的认知策略、解决方法或者步骤我们不知道或者无法获得，解决问题和计算就会很难。举例如下。

- $93.3 \times 102.1 = ?$（超出短期记忆能力的算术计算，因此必须用纸笔完成，那样只需要知道如何进行多位数乘法就够了。）

- 一个农夫有奶牛和鸡一共 30 头。这些动物一共有 74 条腿。这个农夫有多少头牛和多少只鸡？（需要将问题转换为两个代数等式然后解决。）

- 一个禅师将三个学生的眼睛蒙上后，说将在他们额头上画上一个红点或者蓝点。实际上，他在每个学生额头上都点上了红点。然后他说："一分钟后我将你们眼前的蒙布拿下来，你们互相看对方的额头，如果发现至少一个红点，就举起手来并猜自己额头上是什么颜色的点。"接下来他拿下了学生们眼前的蒙布。三个学生互相看了对方的额头后，都举起了手。一分钟后，一个学生说："我额头上的是红点。"他怎么知道的？（这需要通过反证法的推导，这是在逻辑与数学课上学到的特殊推导方法。）

- 你在电脑上播放一个 YouTube 上的视频，但没有听到声音，虽然画面上的角色在对话。是这个视频、播放器、你的电脑、音箱的接线还是音箱出了问题？（这需要设计并操作一系列的诊断测试来逐步缩小问题的可能原因，这就要求电脑和电器领域的知识。）

---

① 答案在本章末提供。

　　这些虚拟的例子表明一些问题和计算需要平常人所没有的训练。附注栏给出了三个真实的例子，展示了人们因为缺少技术领域有效诊断的训练以及学习兴趣，而无法解决技术问题。

解决技术问题需要对技术感兴趣并经受训练

　　软件工程师被训练对问题进行系统的诊断。他们的工作之一是设计和操作一系列测试去排除造成故障的可能的原因，直到发现真实的问题。工程师们经常在设计基于技术的产品时，假定产品的目标用户在诊断故障方面拥有与工程师们一样的技能。然而大部分不是软件工程师的人没有经过问题诊断的训练，因此就无法有效地执行相关操作。以下真实的例子中，非技术人员就面对着他们无法单独解决的问题。

- ❑ 安娜想预定航班，但航空公司的网站却不让她预定。网站要求她输入一个她没有的密码。她给一位电脑工程师朋友打电话寻求帮助，这个朋友问了她几个当前处境的问题，才发现这个网站以为她是她的丈夫，因为他曾经用现在这台电脑访问过这家航空公司的网站，于是网站要求他的用户名和密码。他出差了而安娜不知道他的密码。于是她的工程师朋友告诉她从网站上注销后，重新访问并创建一个自己的账号。

- ❑ 在一个教堂里，经台上的两个监控音箱之一不工作了。助理音效负责人认为是监视器坏了并说他能够换个好的。一个同时也是工程师的音乐家怀疑监视器并没有坏掉，于是他交换了两个监视器与音箱的连接线。现在那个"坏"了的音箱开始工作而那个"好"的音箱不工作了，这说明问题不是音箱坏了。助理音效负责人就认为是音箱连接线坏了，并说他会买条新的。那个工程师音乐家又把连接到监控放大器端的音箱连接线交换了一下，看看是监控放大器的输出还是连接线出了问题。结果发现问题是监控放大器输出端口的连接松了。

　　有时候，即使当人们知道只要花点功夫就能够解决一个问题或者做一次计算时，他们还是不会去做，因为他们认为潜在的回报不值得花那些功夫。这种反应在要解决的问题不是工作份内之事时特别常见。下面是一些实际例子。

- ❑ 旧金山 Freecycle Network 上的一份告示："免费：Epson Stylus C86 打印机。之前正常工作，后突然无法识别满的墨盒。不确定是墨盒还是打印机出了问题。所以我买了一台新的，现在出让这台旧的。"

- ❑ Fred 和 Alice，一对结了婚的学校老师和护士，从来没有给他们家中的电脑安装或更新过软件。他们不知道怎么做，也不想知道。他们只用随机自带的软件。即使他们的电脑提示有软件更新，也会被他们忽略。如果一个应用软件，比如网页浏览器，因为没有更新而停止了工作，他们也就不再用了。不得已时，他们就会买台新电脑。

> ❏ 另一对夫妻 Ted 和 Sue 有一台电视机、一台录像播放机和一台 DVD 播放机。这些机器的遥控器堆放在电视机旁边，从来没有用过。Ted 和 Sue 总是站起来走到设备前去控制它们。他们说学习使用遥控器和记住哪个控制哪个设备对他们来说太麻烦了。但他们却每天使用电脑收发邮件和上网。
>
> 这三个例子里的人都不笨。很多都有大学学历，这让他们成为美国人口中受教育程度排前 30% 的人。一些甚至还接受过不同领域中（比如医学）对问题诊断的训练。他们只是在电脑和基于电脑的技术方面没有受过解决问题的训练，或者也对这不感兴趣。

人类发明计算器和电脑主要是用它们来计算和解决人类靠自身难以解决的问题的。电脑和计算器在计算和问题求解上，至少在定义清晰的问题上，比我们要擅长得多也可靠得多。

在用户界面设计上的影响

人们经常有意通过创造和解决谜题，即挑战自己脑子的难题来挑战和娱乐自己（见图 10-2）。然而，这并不意味着人们高兴接受别人或别的事情提出问题来为难自己。他们有自己的目标，他们用电脑来帮助自己完成目标，他们想要，也需要把自己的注意力专注到那个目标上。交互系统和交互系统的设计者们，应该尊重这一点并且不应以用户不想要的技术问题和目标去干涉用户。

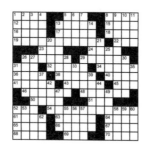 

图 10-2
我们通过发明和解决那些费脑子的难题来挑战自己

下面是一些电脑和网站服务把技术问题丢给用户的例子。

❏ "它要我的'用户 ID'。这个跟我的'用户名'是一回事吗？应该是的。"

❏ "什么？它收了我全价！它没给我折扣，现在该怎么办？"

❏ "它说这款软件可能与我电脑上已有的一个插件不兼容。'可能'？是还是不是？如果是，那到底是哪个插件？我该做什么？"

❏ "我要第 3 章的页码数从 23 而不是从 1 开始，但我找不到做这个的命令。我试过页面设置、文档布局和查看页眉和页脚，但都没有。只剩下插入页码数这个命令。但我不想插入页码数：这一章已经有了页码数，我只是想修改起始号。"

❏ "哼，这个复选框标记着横向对齐图标。我倒想知道我把它去掉后会怎么样。我的图标会变成纵向对齐吗？还是就不对齐了？"

交互系统应该尽可能减少用户不得不投入注意力去操作它们（Krug，2005），否则这会把稀缺的认知资源从他们要用电脑解决的任务上抽取出来。下面是一些设计上的规则。

❏ **显著地标识系统状态和用户当前进度**　如果用户能够一直轻松地直接查看到他们的状态，使用系统不会对他们的注意力和短期记忆造成压力。

❏ **引导用户完成他们的目标**　设计者们可以含蓄地做到这点，通过确保在每一次做决定的时候提供清晰的信息 "气味"，引导用户向目标前进，或者明确地通过使用向导（多步骤的对话框）。不要仅仅显示一堆看起来同样可能的选项，还期望用户知道如何开始和完成目标，特别是当他们在做一个不经常需要做的任务时。

❏ **不要让用户诊断系统问题**　例如网络连接故障。这类诊断排查要求经过技术训练，而大部分用户没有。

❏ **尽可能减小设置的数量和复杂度**　不要期待用户会对许多互相影响的设置或者参数做出最优的组合。人们在这方面已经很差劲了。

❏ **让用户使用感觉而不是计算**　一些看起来可能要求计算的问题可以用图形化的方式展示出来，允许人们通过快速的感觉而不是计算来实现自己的目标。举一个简单的例子，假设你想要看一个文档的中间部分。70 年代和 80 年代早期的文档编辑软件要求你查看文档的长度，再除以二，再发送到文档中间页码的指令。当今的文档编辑软件，你只要将滚动条拖曳到滚动栏中间就可以了。类似地，绘图软件中的对齐网格与对齐标尺消除了用户在添加新图片元素时去判断、匹配和计算图片元素坐标的工作。

❏ **让系统令人感到熟悉**　使用用户已经了解的概念、词汇和图像来尽可能让用户对系统感到熟悉，更少地想到系统本身。即使用户从来没有接触过系统提供的功能，设计者们也可以在某种程度上使用这个方式。一个办法是遵循业界标准和习惯（例如，Apple Computer，2009；Microsoft Corporation，2009）。第二个办法是让新的应用软件像用户习惯了的旧软件那样工作。第三个办法是用比喻作为设计基础，例如桌面的比喻（Johnson et al.，1989）。最后，设计者们可以研究用户去发现他们熟悉什么和不熟悉什么。

❏ **让电脑去计算**　不要让人去做电脑自己就能做的计算（见图 10-3）。

33. List the names of **all of the employers** you worked for in the last 18 months, the dates you worked for each employer, the wages you earned from each, and how you were paid. Please also indicate the employer you worked for longest by selecting the radio button next to that employer. <u>Help</u>

Employer Name <u>Help</u>	From Date (mm/dd/yyyy)	To Date (mm/dd/yyyy)	Earnings	How Paid

34. Regarding the employer in question 33 that you indicated you worked for the longest, please answer the following:
34a. How long did you work for that employer? Years ☐ Months ☐

图 10-3
加利福尼亚州的失业问卷的在线表单要求的数据，这两个问题中都有系统能够自己计算得到答案的问题

前文中提到的问题的答案

❏ 猫是约翰的。

❏ 熊是白色的，因为如果一间房子的四面都朝南，那么它一定是在北极点上。

❏ 要得到 4L 的水，先将 3L 的瓶子装满，再倒进 5L 的瓶子。然后将 3L 的瓶子再装满再往 5L 的瓶子里倒直到满了为止。这样 3L 的瓶子里就有 1L 的水了，倒空 5L 瓶子后，把 3L 瓶子里 1L 的水倒进去。接着再把 3L 的瓶子装满水后，倒进 5L 的瓶子里。

❏ 让 A 等于牛的数量，B 等于鸡的数量。"一个农夫有奶牛和鸡一共 30 头"就转换为"A+B=30"。"这些动物一共有 74 条腿"就转换为"4A+2B=74"。对方程求解就得到 A=7 和 B=23，所以农夫有 7 头牛和 23 只鸡。

❏ 那个禅道学生看到三只手举起来，另外两个学生额头上都是红点。从这些信息，他不知道自己额头上的点是红色还是蓝色。他开始假设那是蓝色的，并开始等待。他的推理是其他学生可以看到他的蓝色点（假设的）和另一个人的红色点，意识到要三个学生都举起手来需要看到两个点，即很快就知道他们自己的额头上也必须是红色点了。但过了一分钟另外两个都没有说话，这就告诉这个学生其他人无法判断他们自己的点是什么颜色，这意味着他自己的点不是蓝色，那就只能是红色的了。

第 11 章

许多因素影响学习

第 10 章对比了我们大脑执行熟练掌握的活动所采用的"自动"方式,与我们用来解决新问题和计算所使用的高度受控的方式。无意识的方式消耗很少的甚至不消耗短期记忆(注意力)资源,并且能够与其他活动同时进行。而受控的方式对短期记忆有着很高的要求并且无法并行处理(Schneider & Shiffrin,1977)。

我们第一次或者头几次做某个操作时,采用的是高度受控和有意识的方式,但随着练习,它就变得越来越无意识。削苹果皮、开车、抛球、骑自行车、阅读、演奏乐器都是这样的例子。一些看起来需要注意力的活动,比如把坏的樱桃从好的里面挑出来,也能成为无意识的以至于我们能够把它当做一个后台任务,而把大量的认知资源留给聊天或看电视新闻。

这样从受控的到无意识的方式的进步,向交互应用、在线服务和电器产品的设计师们提出了一个明显的问题:我们该如何设计,才能使得对它们的操作能够在一个合理的时间范围内成为无意识的?

本章将解释和展示影响人们学习使用交互系统的因素。

- ❏ 操作是专注于任务、简单和一致的。
- ❏ 词汇是专注于任务、熟悉和一致的。
- ❏ 低风险。

当操作专注于任务、简单和一致时,我们学得更快

当使用不论是否基于电脑的工具去执行一个任务时,我们必须把要做的转换成工具所能提供的操作。

- ❏ 想象自己是个天文学家,你想要将望远镜指向半人马阿尔法星。对于大部分的望远镜,你不能直接要求它指向哪颗星,而必须将你的目标转换为望远镜的定向操作:调整垂直

方向角度（方位角）和水平角度，甚至是望远镜当前所对的方向与你所要它指向的方向之间的夹角。

☐ 假设你有一个没有快速拨号的电话机。要打电话给某人，你就得把他转换成电话号码并把号码告诉电话机。

☐ 如果你要给你所在的公司用一个普通的作图软件做一张组织架构图。要标识出组织、部门以及各自的经理，你得画出方框，并标记出部门的名字和经理的名字，把它们用线连接起来。

认知心理学家把用户想要的工具和工具所能提供的操作之间的差距称为"执行的鸿沟"（Norman & Draper，1986）。使用工具的人必须耗用认知力量将他想要做的转换成该工具能够提供的操作，反之亦然。这种认知努力将人的注意力从任务上拽走，放到了对工具的要求上。一个工具提供的操作与用户想要做的之间的鸿沟越小，用户就越不需要去考虑工具本身，而能更专注于他们的任务。因此，这个工具也就能更快地自动化了。

缩小这个鸿沟的办法是把工具设计得使其提供的操作能够匹配用户所要做的事情。继续使用之前的例子。

☐ 一台望远镜的控制系统可以提供一个天体数据库，这样用户就能简单地指出（比如在屏幕上点击）想要观察的天体对象。

☐ 带有快速拨号功能的电话机，用户只需要指出他们想要联系的人或者组织就可以，而不必输入一串号码。

☐ 一个专门用来绘制组织架构图的应用软件能够让用户只需要输入组织名称和经理姓名，而它会自动创建出方框和它们之间的连接线。

要使设计的软件、服务和设备提供与用户目标和任务匹配的操作，设计者必须很彻底地了解用户目标，和工具所要支持的任务。要了解这些，必须做到以下三步：

(1) 做一个任务分析；
(2) 设计一个专注于任务的概念模型，其中主要包含对象-操作分析；
(3) 严格按照任务分析和概念模型设计用户界面。

任务分析

深入具体地介绍如何分析用户目标和任务超出了本书的范围。已经有人用整章甚至整本书专门对此做过介绍（Beyer & Holtzblatt，1997；Hackos & Redish，1998；Johnson，2007）。目前来看，一个好的任务分析应回答以下问题。

☐ 用户在使用这个应用时想要实现什么目的？

- 应用想支持哪些人群的任务？
- 哪些任务是常见的，哪些是少见的？
- 哪些任务是最重要的，哪些又是不重要的？
- 每个任务的步骤是什么？
- 每个任务的结果和输出是什么？
- 每个任务所需的信息从哪来？
- 每个任务结果的信息该怎么利用？
- 什么人做什么任务？
- 每个任务该使用哪些工具？
- 在执行各个任务时，人们会遇到什么问题？什么样的错误是常见的？是什么造成这些错误？错误造成的损害会有多严重？
- 人们在执行这些任务时都使用什么样的词汇？
- 要执行这些任务，人们必须如何沟通？
- 不同的任务之间是如何联系的？

一旦得到这些问题的答案（通过观察和对执行这些任务的人的访谈），下一步并不是立刻开始绘制用户界面草图，而是为这个工具设计一个专注于用户任务和目标的概念模型（Johnson & Henderson，2002）。

概念模型解释一款软件的功能以及要使用它用户需要了解哪些概念。理想情况下，这些概念应该来自任务分析。工具的概念和其支持的任务所需概念之间的映射越直接，用户就越少做它们之间的转换，也就越容易学习使用工具。

在完成一个专注于任务、尽可能简单和一致的概念模型的设计之后，你就可以开始为其设计用户界面了，而这个界面应尽可能减少用户达到能够自动使用这个工具所需的时间和经验。

对象 – 动作分析

概念模型中最重要的就是对象-动作分析。它指定了该应用展现给用户的所有概念对象、用户对这些对象所能做的动作、各类对象的属性（用户可见的设置参数）以及对象之间的关系（Card，1996；Johnson & Henderson，2002）。

软件的实现可能包含以上列出的概念模型之外的其他对象，若如此，那么这些额外的对象就不能被用户看到。仅仅是与功能实现相关的对象及动作，比如文本缓冲区、散列表、数据库记录等，不应被包含在概念模型里。

对象-动作分析也就是对用户可见的对象做出声明。请遵循这个规则："如果某件东西不在对象－动作分析里，用户就不需要知道它。"

假设我们设计一款支票账户的管理软件，一个基于任务的对象-动作分析会包括类似交易、支票和账户的对象。它将把非任务相关的对象比如缓冲区、对话框、模式、数据、表以及字符串等排除在外。

一个基于任务的概念模型会包含类似支票填写、作废、存款、取款和账户结算等动作，同时排除非任务相关的动作如点击按钮、装载数据库、编辑数据库记录、清空缓存和转换模式等。

在专注于任务的概念模型中，属性可以有以下这些：

- ❑ **支票** 有收款人、支票号码、金额、备注文字和日期；
- ❑ **账户** 有所有人和账户节余；
- ❑ **交易** （存款和取款）有金额与日期。

如果模型包含了如交易记录格式等电脑技术相关的属性，它就不是专注于任务的了。用户不关心应用程序内部使用了什么格式来存储交易记录。强迫他们了解这些，不论在用户界面上花费多少精力，都将影响软件的可学习性和可用性。

支票账户管理例子中的对象、动作和属性看起来可能太显而易见了，所以我们再来看一个对象-动作分析不是那么直接了当的任务：一个在线商店里顾客对产品发表评论。

概念模型中合适的对象包括顾客、产品、顾客的评价以及对评价的反馈。不合适的对象包括数据库、表和永久性的 cookie。

对产品的动作包括查看和添加评价。对评价的动作包括查看和反馈，以及用户编辑自己发布的评价。评价的属性包括标题、顾客的称呼以及发布日期。

请注意对支票管理软件和顾客评价系统来说，重要的概念设计问题可以在用户界面设计之前，甚至在还不确定用户界面是显示在个人电脑上还是电话语音菜单的时候就确定下来。

尽可能简单

除了专注于用户的任务，一个概念模型也应该尽可能简单。越简单就意味着概念越少。而只要提供了用户需要的功能，那么用户需要掌握的概念就越少越好。只要能够很好地让用户达到目标完成任务，少即是多。

示例如下。

- ❑ 对于一个 To-Do 列表应用来说，用户是否需要给某项任务指定 1 ～ 10 个优先级别，还是说只要准备两个优先级（高、低）就够了呢？

❏ 搜索引擎的输入框里是否要允许用户输入各种布尔表达式？如果允许，那是不是很多人都会那么用呢？如果不是，就不要设计那么复杂。

❏ 火车站的售票系统用不用根据火车线路，而不是以本站为起终点售票？

很多开发过程都会有一种添加额外功能的压力，以防"用户万一需要这个功能"。在面临这种压力时，除非确有迹象表明会有很多潜在客户或者用户需要它，否则一定要坚决抵制。为什么？因为每多考虑一种可能性，就会让软件变得更复杂一些。而用户也要为学习使用多花一些时间。况且，这实际上也不仅仅是一种可能性那么简单。每一个新想法都要与很多其他的想法发生联系，这种联系会导致复杂性进一步上升。因此，新想法不断加入导致应用程序复杂性的增加不是线性的，而是倍增关系（见图 11-1）。

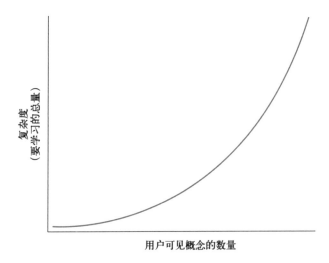

图 11-1
一个应用的复杂度随着概念数量的增加呈非线性增长

一致性

一个交互系统的用户从受控的、有意识监控的、缓慢的操作，进步到无意识的、无需监控的和更快的操作，这个过程的速度受到系统一致性的严重的影响（Schnerder & Shiffrin，1997）。系统不同功能的操作越可预期，它的一致性就越高。在一个高度一致的系统中，一个功能的操作可以从它的类型中看出来，所以用户能快速了解系统是如何运作的，从而使得使用这个操作成为习惯性的。在不一致的系统中，用户无法对不同的功能如何运作做出预判，所以就必须每个都重新学一遍，这就使得整个系统的学习过程慢了下来，也让用户对这些功能的使用始终无法脱离受控的、消耗注意力资源的状态。

过度复杂源于不同又太相似的概念

一些应用软件因为用了许多在含义或者功能上相互重叠的概念而变得非常复杂。例如，一家公司的客户服务网站展示了以下四个开发团队认为不同的概念。

- **会员** 一个公司是否已经支付了这个客户服务。
- **订阅** 一个公司是否已经订阅了客户服务实时通信邮件。
- **访问权限** 一个公司能够访问客户服务网站的哪些板块。
- **权利资格** 每个会员级别对应的可提供的服务。

这四个让用户混淆的概念，应该被合并成一个，或者至少少于四个。另一个公司为找房子的人们开发了一个网站。找房子有两个方法：(a) 给出州、郡或者城市的名字；(b) 在地图上指出地点。该网站把这两个方法分别叫做“用位置”和“用地图”，并要求用户选择一个。一个可用性测试发现许多用户根本不认为这是找房子的不同方法。对他们来说，二者都是通过位置来找，仅仅是指定位置的方式不同而已。

交互系统可以在至少两个不同层面上讨论一致性：概念层面和按键层面。概念层面的一致性是由对象、操作和概念模型的属性（见上文）之间的映射决定的。系统中的对象是否都有同类的操作和属性？按键层面的一致性是由概念上的操作与现实中执行操作所需要的实际动作之间的映射决定的。某一类型概念的操作是否都是由同样的物理动作来发起和控制的？

对象 – 操作矩阵

在设计交互系统时一个不是必需的但有时很有帮助的步骤是，用一个由对象和操作组成的矩阵来展示概念模型。将对象列在左边一列，操作排在顶上一行（见图 11-2）。我们暂且忽略对象类型的层级结构，先把它们一一列出。对象越多，矩阵就越高；操作越多，矩阵就越宽。

操作

对象	A	B	C	D	E	F	G	H	I	...
1		✓			✓	✓			✓	
2			✓			✓	✓			
3								✓		
4	✓			✓	✓	✓		✓		
5	✓			✓		✓		✓		
6		✓			✓		✓	✓	✓	
...										

图 11-2

对象 – 操作矩阵展示了对每个对象可用的操作

　　构造对象–操作矩阵能够为你在视觉上展示出交互系统概念模型的复杂度。矩阵越大，就意味着越多概念需要学习。长矩阵表明有很多对象需要理解，宽矩阵表明有许多操作需要掌握。这个矩阵还展示了概念模型有多么一致或者多么不一致，也可以看出用户能够多容易地把从系统的一部分上学到的东西转移到另一部分上。

　　小且紧凑的矩阵表明对应的设计是容易学习的：对象较少，操作较少，而且对每种类型的对象的操作都是一样的（见图 11-3a）。例如，一个简单的绘图程序中的概念对象有图形元素：线条、椭圆形、弧线、长方形、三角形、文字标签等。对这些图形对象的可用操作大概有创建、删除、查看和编辑属性、移动、复制、调整大小、旋转和翻转等。在这样一个简单绘图软件的对象–操作矩阵里，每个对象都有一行，每个操作都有一列，所有的操作对每个对象类型都可用，因此这个矩阵就很紧凑，如图 11-3a 所示。

　　一个较大的、稀疏的矩阵反应出一个难以学习和难以记住的不一致的设计，因为每个概念对象有不同的操作（见图 11-3b）。这样的设计很难学习和记住如何使用，无论在这个概念模型上使用什么样的用户界面。

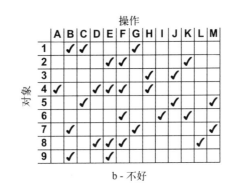

图 11-3
容易学习与难以学习的概念设计的对象 – 操作矩阵的对比

　　首要经验之一就是简化概念模型使得代表它的矩阵尽可能小和紧凑。然而，小的矩阵也反映出了有限的功能。当应用软件的功能稍微比简单的绘图软件、个人联系簿或者查找邮政编码的网站多一些的话，要实现一个小的矩阵就很难了。比如考虑一下一个重症病人监护的系统需要的对象和操作。即使一款典型的文字处理软件，比如微软公司的 Word 或者苹果公司的 Pages，都具有相当复杂的概念对象和操作。

　　但是，对任何一个期望的功能，一位设计者可以为其设计多种不同复杂度的概念模型。例如大部分的银行账户记录软件的功能都很类似，但 Intuit 的 Quicken 有非常简单的概念模型，这可能也是它如此流行的原因之一。软件设计者们应把所要求的功能对应概念模型设计得尽可能简单（具有最紧凑的对象-操作矩阵）。

虽然易学易用的系统通常具有小且紧凑的对象-操作矩阵，但它们也能有其他矩阵构造。考虑一个所有功能是通过五六个对所有对象通用的操作完成的应用软件。这样一个系统会有大量的对象，而对可学习性没有太大影响，因为所有对象的操作都是用完全一致的方式完成的。它的对象-操作矩阵虽然很高，但也很窄很紧凑。这样的设计方式已经被用在一些功能性非常强的系统的设计中，例如施乐 Star Office 工作站（Johnson et al.，1989）。在 Star 中，同样的 6 个命令——移动、复制、打开、删除、显示属性以及复制属性，都能被用在所有对象上：字符、单词、段落、表格的行、表格、图表、邮件、文档、目录、打印机等。

如果将对象类型的层级结构放进矩阵，我们就能看到另一种容易学习的概念模型，其中的对象能很清晰地被归属在不同类别下，每一类别都有自己的操作，其中一些操作也可能是所有对象共有的（见图 11-4）。这样的模型矩阵并不小也不紧凑，但也不是稀疏的。它的规律性和一致性能够帮助学习和记忆。

		针对具体类型的操作											通用操作
---	---	A	B	C	D	E	F	G	H	I	J	K	L	M
X	1	✓	✓	✓	✓									✓
	2	✓	✓	✓	✓									✓
	3	✓	✓	✓										✓
Y	4					✓	✓	✓	✓					✓
	5					✓	✓	✓	✓					✓
	6					✓	✓	✓	✓					✓
Z	7									✓	✓	✓	✓	✓
	8									✓	✓	✓	✓	✓
	9									✓	✓	✓	✓	✓

（左侧纵向标注：对象）

图 11-4
一个更现实和容易学习的概念模型的对象 – 操作矩阵

一个提供商业和居住地产的房地产服务可以作为例子，其中不同类型的地产有各自不同的操作，同时也能有共同的操作。

我把构建对象-操作矩阵作为一个可选的设计步骤有两个原因：

❑ 有经验的交互设计者一般不需要把矩阵画出来就能知道他们设计的概念模型是简单的还是复杂的，一致的还是不一致的；

❑ 可用性测试能够显示出设计者所不知道的应用软件的概念模型有哪些方面需要简化。

因为设计者设计的是应用软件的概念模型，因此对设计者来说，想象出软件的对象-操作矩阵是什么样子就足够了。

目标是设计出一个针对任务、尽可能简单并且尽可能一致的概念模型。从这个模型出发，设计者能为其设计出一个用户界面，并尽可能减少要达到熟练自动地使用这个软件所需要的时间和经验。

按键的一致性

当一位设计者从概念设计进入实际用户界面设计时，按键这一层面上的一致性就变得重要了。

按键层面的一致性更难以展示和衡量，但在决定一个交互系统的操作能够多快地变为无意识的这一方面上，与概念一致性至少同样重要。目标是培养通常所谓的"肌肉记忆"，即操作的运动习惯。

实现按键层面的一致性要求对同一类型的所有操作的实际动作进行标准化。文字编辑是一个操作类型的例子。对文字编辑在按键层面的一致性要求不论在哪儿编辑文字，如文档、表单字段、文件名等，按键（和光标的移动）动作应是一样的。需要按键层面一致性的其他类型的活动还有打开文档、点击链接、选择菜单项、从展示的选项中做选择、点击按钮和滚动显示等。

一个在按键层面上不一致的系统不仅无法让人快速进入"肌肉记忆"的操作习惯中，还迫使他们不断猜测在不同的操作环境下该按什么键，即使在差异很小的环境中也是如此。

开发者促进按键层面上的一致性的一个常见办法是遵循用户界面标准。这样的标准可以在风格指南中找到，或者已经被用户界面构造工具和控件套件所集成了。整个业界都有风格指南，桌面软件有它们的指南（Apple Computer，2009；Microsoft Corporation，2009），网站设计也有自己的指南（Koyani，Bailey & Nall，2006）。各个公司也最好有内部的风格指南，在业界标准之上来增强自己产品界面的外观和感受。

不论惯例和约定是如何被封装起来的，目标都是在概念和任务层面上创新而在按键层面上坚持惯例。作为设计者，我们真的不想让我们的软件用户在使用软件工作时不停地去想按键层面的动作，用户也不愿意这么做。

当词汇专注于任务、熟悉和一致时，我们学得更快

保证一个应用程序、网站服务或者设备对其用户展现一套小的、一致的和任务相关的概念是意义重大的第一步，但还不足以将人们在学习交互系统上消耗的时间减至最少。你还需要确保词汇，即概念的名称，与任务搭配，并且是大家熟悉和具有一致性的。

词汇应是专注于任务的

就像用户可见的概念应该专注于任务一样，概念的名称也应如此。通常来说，对用户的访

谈和观察是任务分析的一部分，设计者们从中就可获得专注于任务的词汇。软件偶尔需要向用户引入一些新的概念，对设计者们来说，要接受的挑战就是保证这些概念和它们的名称聚焦于任务之上，而不是所用的技术上。

下面是交互性软件系统使用非专注于任务的词汇的一些例子。

- 一个公司为操作投资交易开发了一款桌面应用软件。这款软件让用户创建和保存常用交易的模板，并为用户提供选择，把模板保存到自己的个人电脑上还是网络服务器上。保存在个人电脑上的模板是私有的，而保存在服务器上的允许所有人访问。开发团队用了"数据库"一词来表示存在服务器上的模板，因为模板的确存储在服务器上的数据库中。他们又使用"本地"来称呼存在用户个人电脑上的模板，因为那的确是存在用户的本地机器上的。而更专注于任务的词应该为"共享"或者"公共"，而不是"数据库"；应该是"私有"而不是"本地"。

- iCasualties.org 提供了持续更新的伊拉克战争和阿富汗战争中阵亡或者受伤的联军士兵数量和名单。它首先让网站访问者选择一个"数据库"。然而，网站的访客并不关心也不需要知道网站的数据是保存在多个数据库中的。专注于任务的指令应该是让用户选择一个正在发生武装冲突的国家，而不是一个数据库（见图 11-5）。

图 11-5
iCasualties.org 在指令中使用并非专注于任务的语言（"数据库"）

词汇应该是熟悉的

为了减少人们掌握你的应用软件、网站或者设备所需的时间，从而能够自动地使用它们，不要逼迫用户学习一套全新的词汇。第 4 章解释了熟悉的词汇更容易被阅读和理解是因为它们能够被自动地识别。不熟悉的单词让用户动用更多的主动意识去理解，从而消耗了本来就少的短期记忆资源，也就降低了对系统的理解。

不幸的是，许多基于计算机的产品和服务展示给用户的都是来自计算机工程中的词汇，这些经常被称作"电脑玩家用语"。用户不熟悉却又必须去掌握（见图 11-6）。为什么非得这样呢？操作一个电烤箱并不要求我们掌握天然气的压力和化学组成方面的词汇，或者电力生产和传输的术语。但为什么在网上购物、分享照片或者查询电子邮件时，就要求我们学习类似 USB、

TIFF 或者宽带这些玩家语言呢？但在许多情况下，事实就是这样的。

图 11-6
陌生的计算机术语（又被称为"玩家语言"）既拖慢了用户的学习也让他们感到纠结

下面是交互性软件系统使用陌生词汇的例子。

❏ 一个开发团队为学校的老师设计在课堂上使用的视频点播系统。这个系统的目的在于允许老师找到学区提供的视频，下载这些视频并在课堂上播放。开发团队的最初方案是根据"类型"和"子类型"的层级架构组织视频。然而，与教师们的访谈显示，他们使用"科目"和"单元"来组织包括视频在内的教学内容。如果系统使用了开发团队选择的词汇，使用这个系统的老师们将不得不学习"类型"就是"科目"，以及"子类型"就是"单元"，这也就使得他们更难掌握这个系统的使用。

❏ 美国大陆航空的网站的错误消息中用了"电脑玩家用语"（见图 11-7）。其主要目的是试图告诉网站用户出错了，但因为使用了用户不熟悉的术语，所以很少用户能够理解网站要说什么，也不确定该做什么。这样的错误消息更适合报告给系统工程师。像这样的错误消息应该要么以用户能够理解的方式重写，要么显示给监控网站运行情况的管理员，而不是给用户看。

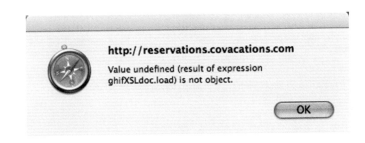

图 11-7
Continental.com 上的错误消息使用了"电脑玩家用语"（计算机术语）

❏ Windows 媒体播放器有时会通过用户不熟悉的方式来使用熟悉的词（见图 11-8）。图中的错误消息是指软件的运行状态，而媒体播放器的普通用户可能把这理解为他们居住的州（state 有"状态"和"州"两个含义，错误消息的意思是"请求在当前状态下不合法"，而用户可能理解为他们发起的请求在他们所居住的州不合法）。

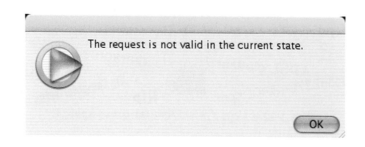

图 11-8
Windows 媒体播放器的错误消息里通过用户不熟悉的方式使用他们熟悉的词（current state）

与这些例子不同，美国西南航空的网站试着避免出现错误消息，但不可避免时，它试着用针对任务的、用户熟悉的方式来解释问题（见图 11-9）。

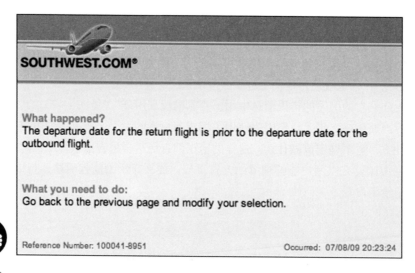

图 11-9
美国西南航空网站的错误消息是针对任务的，十分清晰，有助于用户学习使用

专用词汇应保持一致

人们希望将认知资源用在自己的目标和任务上，而不是使用的软件上。他们就是想要达到

自己的目标，对软件并不感兴趣，对软件所展示的东西仅仅做表面和字面上的解释。他们有限的注意力资源集中在他们的目标上，以至于如果他们找的是搜索功能而屏幕或者页面上标记的是"查询"，他们都有可能错过。因此，一个交互系统中所用的专用词汇应该高度一致。

当每一个概念有且只有一个名称时，交互系统所用的专用词汇就是一致的。Caroline Jarrett，这位用户界面和表单设计的专家提供了这条规则：

> 同一个名称，就是同一个东西；不同的名称，就是不同的东西（FormsThatWork.com）。

这意味着词条和概念应该有着一一对应的关系。绝对不要使用不同的词条表示同一个概念，也不要用同一个词条表示多个概念。即使在现实世界中有歧义的词条在系统中也应只表示一个东西。不做到这些，人们更难学习和记忆如何使用这个系统。

一个不同词条表示同一个概念的例子是 Earthlink 的网站托管部分的常见问题（FAQ）页面（见图 11-10）。两个网站托管平台被称为"基于 Windows 平台"和"基于 UNIX 平台"，但在表格中，却成了"标准"和"ASP"。客户就不得不停下来试着搞明白到底哪个是哪个。你知道吗？

What are the differences between Windows-based and UNIX-based platforms?
For detailed information on choosing between these two operating systems, please visit our Windows or UNIX page.

For a quick look at which features and programs each platform supports, please consult the chart below:

Feature	Standard	ASP
Microsoft FrontPage Extensions	YES	YES
RealVideo and RealAudio	YES	NO
ASP (Active Server Pages)	NO	YES
ADO (ActiveX Data Objects)	NO	YES
ODBC Data Sources	NO	YES
Windows Media Server	NO	YES
PHP	YES	NO
MySQL Databases	YES	NO
Free ready-to run scripts, such as a hit counter, forum, e-mail form, blog, and guestbook	YES	NO

图 11-10
Earthlink 的网站托管部分的常见问题在问题和表格中使用了不同的词条表示相同的选项

Adobe Photoshop 中的一个例子显示不一致的词汇会阻碍学习。Photoshop 有两个功能能够替换图片里某个指定颜色：替换颜色（replace color），将图片中某个指定颜色全部用另一个颜色替换掉；油漆桶（paint bucket），能够将一个封闭区域中指定的颜色换成新颜色。这两个功能中都有用来指定图片中新颜色与被替换掉的颜色有多接近的一个参数。不一致的地方在于：在替换颜色的功能中，这个参数叫做 Fuzziness，但在油漆桶中把这个参数叫做 Tolerance（见图

11-11）。Photoshop 在线帮助文档中的"替换颜色"部分甚至说"通过拖曳滑动条或者输入一个值来调整蒙版的'宽容度'"。如果这个参数在两个功能中都被叫做"宽容度"，人们就能够在学会一个功能后更快地将所学到的技能转到另一个上去。但现在不是这样，因此他们不得不分别学习这两个功能。

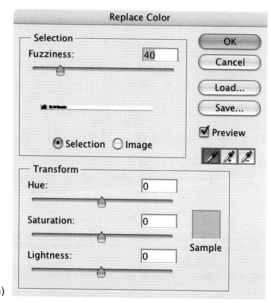

图 11-11
Photoshop 在两个颜色替换功能中使用了不同的名称来表示容差参数。（a）替换颜色中使用了 Fuzziness（模糊度），（b）在油漆桶中使用了 Tolerance（宽容度）

　　最后，WordPress.com 中也有一个同样的词条表示不同概念的例子（这也被叫做词汇重载）。网志的管理中，WordPress 为每个作者提供了一个有好几个页面的集合了监控和管理功能的仪表盘。问题在于仪表盘的多个管理页之一也被叫做"仪表盘"，也就是说同一个名称被用来表示整个仪表盘和其中的一个页面（见图 11-12）。因此，当新的网志作者学习使用 WordPress 时，就会发现也不得不记住"仪表盘"有时候代表整个管理区域，有时候又特指管理区域下的仪表盘页面。

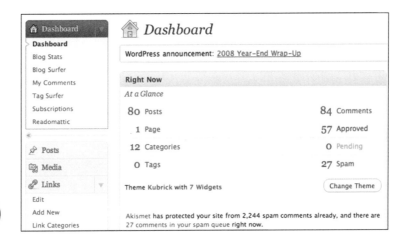

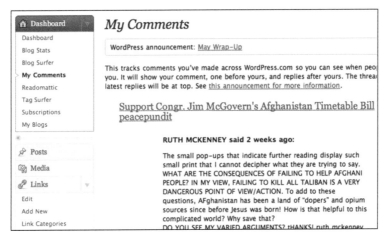

图 11-12

在 WordPress，"仪表盘"指的既是网志的整个管理区域也是该区域的某个页面

有一个好的概念模型能够方便开发一套专注于任务、熟悉和一致的专用词汇

好消息是当你在做一个任务分析和开发一套专注于任务的概念模型时，你也获得了目标用户用来讨论这些任务的词汇。你不必硬生生地为你的用户能看到的概念创造出一些新词汇，而是可以用人们在执行这些任务时早就在用的词汇。实际上，你不应为那些概念创造新的名字，因为你造的任何词都可能是电脑技术用语，不属于任务范畴。①

---

① 除非你是在设计软件开发工具。

软件开发团队应从概念模型中创造一个产品词典。在这个词典里，该产品（包括它的文档）中用户能接触到的每个对象、动作和属性都有一个名字和定义。词条和概念在词典中应一一对应，而不该出现多个词汇对应到一个概念或者一个词汇对应多个概念的情况。

词典中的词条应从软件所支持的任务中产生，而不是来自具体的实现方式。词条应与用户在普通任务中所用的词汇相匹配，即使它们是新的。通常情况下，技术文档编写者、用户界面设计者、开发者、经理和用户都应为生成这个词典做出贡献。

图形用户界面中的一些概念已经有了业界标准的名字。他们在图形界面中的作用类似编程语言中的"保留字"。如果你给这样的概念换了个名字或者赋予不同于业界标准的意义，用户就会被搞糊涂了。

在软件中、用户手册里以及市场营销的文字中，都应一致地遵循产品词典。

应把产品词典视为一个活的文档：随着产品的发展演进，词典应在新的设计心得、功能的变化、可用性测试的结果和市场反馈的基础上做出相应的变化。

风险低的时候我们学得快

想象一下你到一个外国城市出差一两个星期。在工作之后的晚上和周末，你有一些闲暇时间。比较两个城市：

- ❑ 你被告知这个城市很容易四处走动。街道的布局规划清晰统一，道路和地铁标识清晰，居民和警察对游客非常友好，非常乐意帮忙。
- ❑ 你被事先警告这个城市的规划混乱复杂，街道绕来绕去，标识也不清晰；街道和地铁的标识上没有你认识的语言，居民也不会说你的语言，总体上也瞧不起外地游客。

你更可能愿意在哪个城市里逛逛？

大多数的交互系统，如桌面软件、网站服务和电器产品等，配备的功能远远超出用户会尝试使用的。通常人们甚至不知道他们日常用的软件或者器材的大部分功能。原因之一是害怕被折腾得身心俱疲。

人会犯错误。许多交互系统让用户非常容易犯错，却不能让用户修正错误，或者纠正错误的成本非常高。在这样的系统上，人们无法变得高效：他们在修正错误或者从错误中恢复时浪费了大量时间。

比在时间上的影响更重要的是在学习上的影响。一个容易使人犯错误而且错误代价很高的高风险的系统阻碍人们探索它，对犯错误感到紧张和害怕的人们更愿意继续使用熟悉的、安全的路径和功能。当探索受到阻碍，又高度紧张时，学习的动力就受到了严重的打击。

相反地，在低风险的系统里，用户不容易犯错误，犯错的代价也很低，也容易修正，那就能减少用户的压力并鼓励探索，因此也就极大地促进了学习。使用这样的系统，用户就更愿意尝试新的路径："嗯，那个东西是干什么的？"

为了促进学习，交互系统应提供低风险的环境，使得用户不怕探索，愿意尝试新东西。这么设计软件意味着以下几点：

- 尽可能防止出错；
- 停用不合理的命令；
- 向用户清晰地展示他们做了什么（比如，不小心删除了一段文字），这样错误就容易被发现；
- 让用户能够轻松地撤销、反转或者修正错误。

小结

本章的目标是解释并展示哪些因素会影响人们学习高效地使用交互系统，从而使得对它的操作几乎是无意识的认知处理。在以下这些条件下，我们能够更快地学会使用交互系统。

- 它们的操作基于用户的目标和任务（而不是基于系统本身的实现），概念上简单并且一致。
- 它们所用到的词汇对用户不陌生，限制在任务的范围之内，并保持使用上的一致性，也就是说词条与概念是一一对应的。
- 它们提供了一个低风险的环境，错误很难发生，即使发生了，也容易修正，且修正的成本很低。

第 12 章

我们有时间要求

事件发生需要时间，感知物体和事件也需要时间，所以记住感知到的事件也需要时间，思考过去和将来的事件也需要时间，从事件中学习、执行计划和对感受到的和记忆中的事件做出反应都需要时间。需要多少时间呢？知道感觉和认知过程的时长又如何帮助我们设计交互系统呢？

本章将回答这些问题，展示感觉与认知过程的时长，并在其基础上提供交互系统必须达到的一些实时要求，使其能够与用户同步。无法与用户的时间要求很好地同步的系统不能成为有效的工具，并会被用户认为是反应不灵敏。

第二个问题，感知的响应度可能看起来不如有效性重要，但实际上相反。在过去的 40 年里，研究人员一致地发现一个交互系统的响应度，即能否跟上用户，及时告知他们当前状态，而不让他们无故等待，是决定用户满意度的最重要的因素。它是最重要的因素，没有"之一"①。这要比容易学习或容易使用更重要。一个又一个的研究已经证实了这一发现（Barber & Lucas, 1983; Carroll & Rosson，1984；Miller, 1968；Rushinek & Rushinek，1986；Shneiderman，1984；Thadhani，1981）。

本章首先给出响应度的定义，然后列举出一些重要的人类感觉与认知的时间常量，并以交互系统设计的实时准则与例子作为结束。

响应度的定义

响应度与性能相关，但又不一样。性能是以单位时间里的计算次数来衡量的，响应度是以服从用户在时间上的要求及前面提到的用户满意度来衡量的。

---

① 对于用户感知网站加载速度的问题，有研究人员指出了不同的因果关系：用户在一个站点中取得的成就越多，就会认为站点的速度越快，尽管他们的评价往往与站点的实际速度有很大出入（Perfetti & Landesman, 2001）。

　　高响应度的交互系统并不一定是高性能的。你打电话给某人咨询某个问题，他可以很快响应，即使无法立刻回答你的问题，他或许能先接下你的问题并承诺迟些电话回复。如果他能告诉你何时会答复你，那响应度就更好了。高响应度的系统即使无法立刻完成用户的请求，也能让用户了解状况。它们对用户的操作和执行情况提供反馈，并且根据人类感觉、运动和认知的时长来安排反馈的优先顺序（Duis & Johnson，1990）。具体地说，它们做到：

- ❑ 立刻告知已经接收到你的输入；
- ❑ 对操作需要多长时间完成提供一定的指示（见图 12-1）；
- ❑ 在等待时允许你去做其他事情；
- ❑ 能够智能地管理事件队列；
- ❑ 将系统内部管理和低优先级的任务放在后台运行；
- ❑ 对最常见的用户请求做出预期。

　　即使运行速度非常快，软件也可能有非常糟糕的响应度。就算一个修表匠能够非常快地修好表，如果只有在他修完一块表后才能招呼你，他的响应度就不够高。如果你把表交给他，他却一言不发地走开，而不告诉你他是去修你的表还是去吃饭，他的响应度也不高。即使他立刻开始开工修理你的表，但如果没有告诉你这得等五分钟还是五个小时，那么他的响应度也还是不高。

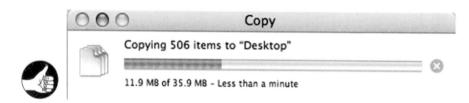

图 12-1

MacOS X 上的文件传输：很好的进度指示、有用的预计时长和取消按钮（打了叉的圆形标记）

　　响应度糟糕的系统无法达到人类对时间的要求，无法与用户保持一致。不能对用户操作做出即时的反馈，用户就不能确定他们做了什么或者系统在做什么。用户在无法预期的时间里等待，还不知道得等上多久。用户的工作空间也被严重地限制。下面是一些响应度糟糕的具体例子。

- ❑ 对于按下按钮、滑动滚动条或者操作某对象的反馈迟缓。
- ❑ 耗时的操作阻断其他活动，还不能被取消（见图 12-2）。
- ❑ 对长时间运行的操作需要多长时间不提供任何线索（见图 12-2）。
- ❑ 断断续续难以理解的动画效果。
- ❑ 执行用户没有请求的系统后台任务而忽略用户输入。

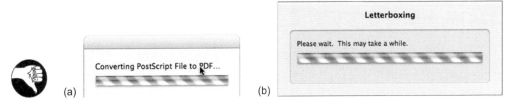

图 12-2
MacOS X: 没有进度条（仅有一个忙碌条）并且无法取消。(a) MacOS X，(b) iMovie

这些问题降低了用户的工作效率，让用户觉得讨厌和抓狂。不过，虽然所有研究都表明响应度对用户满意度和工作效率来说非常关键，但是当今的许多交互系统的响应度还是非常糟糕（Johnson，2007）。

人类大脑的许多时间常量

要理解人类用户对交互系统在时间上的要求，我们先从神经生理学开始。

人类大脑和神经系统并不是一个单一器官，相反，它们是由许多基于神经元的器官集合组成的，这些器官在由虫到人类的进化链上无数不同点上出现过。这个集合提供了大量不同的感觉、调控、行动和认知的功能。毫不奇怪，这些功能的运行速度不同。一些非常快，快到在几分之一秒内完成，而另一些则要慢上好几倍，需要几秒钟、几分钟、几小时甚至更长的时间才能完成。

举个例子，第 10 章解释了类似弹奏记忆中的乐谱这种无意识的操作执行起来至少快于那些需要高度监控和控制的操作（比如作曲）10 倍。另一个例子是躲闪的反射动作：大脑中的一个从远古大脑进化而来的叫做"上丘"的区域，能够"看到"快速靠近的物体，并远在你的大脑皮层能够感觉和判断物体之前，命令你躲闪或者举起手臂遮挡。

附加内容提供了大脑的一些重要感觉和认知功能的时长。除了以下几个，大部分都不需要额外的解释。

声音中我们所能察觉到的最短的沉默间隔：1 ms（0.001 s）

在短暂的事件和微小差距上，我们的听觉比视觉更敏感。我们的耳朵使用机械的声音传感器，而不是电化学神经电路。鼓膜将震动传送给听小骨（中耳耳骨），听小骨再将震动传送给耳蜗的毛细胞。毛细胞在震动时，激发电脉冲到大脑。因为联结是机械的，所以我们的耳朵对声音的反应要比视网膜的视椎细胞和视杆细胞对光的反应更快。这样的速度使得我们的听觉系统能够觉察出声音到达两耳的非常小的时间差异，大脑通过这个差异，计算出声源的方向。

我们的大脑需要多长时间去……?

　　下面列出的是影响我们对系统响应度的感觉的大脑功能的时长。以从短到长的顺序列出（Card et al.，1991；Johnson，2007；Sousa，2005；Stafford & Webb，2005）。

感觉与认知功能	时　　长
声音中我们所能察觉到的最短的沉默间隔	1 ms (0.001 s)
听觉神经细胞（大脑里最快的神经元）的峰电位之间最短的时间间隔	毫秒级 (0.002 s)
可见且能对我们产生影响（或许是无意识的）的视觉刺激的最短时长	5 ms (0.005 s)
用墨水笔书写时可发现墨水延迟的最小时间间隔	10 ms (0.01 s)
连续声波之间通过听觉融合形成一个音调允许的最长间隔	20 ms (0.02 s)
连续图像之间可形成视觉融合的最长间隔	50 ms (0.05 s)
挠反射的速度（对危险的非自主的运动反应）	80 ms (0.08 s)
一个视觉事件与我们对它完整感知之间的时间差	100 ms (0.1 s)
眼跳（非自主的眼球运动）的时长，此期间视觉受到抑制	100 ms (0.1 s)
可使我们感觉一个事件产生另一个事件的连续事件之间最长的时间间隔	140 ms (0.14 s)
一位熟练的阅读者的大脑领会一个显示的单词需要的时间	150 ms (0.15 s)
从感觉上判断视野中 4 ～ 5 个物体的时间	200 ms (0.2 s，每个物体 50 ms)
事件进入意识的编辑"窗口"	200 ms (0.2 s)
辨认出（说出）被展示的物品	250 ms (0.25 s)
在有超过 4 件物品的场景里默数出这些物品所需的时间	300 ms (0.3 s)
识别了一个事物之后的注意力暂失（对其他事物失去注意）	500 ms (0.5 s)
视觉-运动反应时间（对非预期事件的有目的的反应）	700 ms (0.7 s)
人们对话中交换发言时的最长沉默间隔	大约 1 s
不受干扰地执行单一（单位）操作的时长	6 ～ 30 s
在紧急情况下做一个关键性决定（比如医疗应急分配）所需的时间	1 ～ 5 min
做一个重要的购买决定（比如买一辆车）的时间间隔	1 ～ 10 天
选择一个一辈子的职业所需的时间	20 年

可见且能对我们产生影响（或许是无意识的）的视觉刺激的最短时长：5 ms (0.005 s)

　　这是所谓潜意识知觉的基础。如果用 5 ～ 10 ms 向你展现一幅图，你不会注意到它，但视觉系统的低层部分能够记录到。这么接触到一幅图的效果之一就是你对它的熟悉度增加了，如果你迟些再看到这幅图，就会觉得熟悉。短暂地看到一幅图或者一个逼近的物体能够触发你的旧脑和中脑做出反应，逃避、恐惧、愤怒、难过、开心，即使画面在你能够识别出它之前就消失了。然而，与流行的观点相反，潜意识知觉不是行为的决定性因素。它不能让你做你不愿做的事，也不能让你想要你本不想要的东西（Stafford & Webb, 2005）。

挠反射的速度（对危险的非自主的运动反应）：80 ms（0.08 s）

当一个物体，即使是个影子，朝你快速靠近时，或者你听到身边巨大的声响时，又或者被突然地推、戳或者抓时，你的反射动作就是躲避：推开，闭上眼睛、抬手保护自己等。这就是挠反射。挠反射要比对于一个感知到的事件有意识地反应快得多：快了近十倍。挠反射的反应速度不仅在实验中得到证明，也在对受到攻击或者车祸中的人的检查中发现，通常他们的胳膊和手上的伤口证明他们能够在瞬间抬手保护自己。

一个视觉事件与我们对它完整感知之间的时间差：100 ms（0.1 s）

从外界事件的光线到达你的视网膜，到这个事件产生的神经脉冲到达你的大脑皮层，这之间的时间大约为 0.1 s。假设我们对这个世界的主观意识与现实之间有十分之一秒的差距。这个差距对我们的生存没有什么帮助：十分之一秒对我们想捉住飞奔过草地的兔子来说太长了。我们的大脑对移动物体的位置以 0.1 s 补偿进行推断。因此，当一只兔子从你的视野中跑过时，你看到它的位置是大脑的预测，而不是它 0.1 s 前的位置。

可使我们感觉一个事件产生另一个事件的连续事件之间最长的时间间隔：140 ms（0.14 s）

这个时间间隔是感知因果的最长时限。如果一个交互系统延迟超过 0.14 s 才对你的操作做出反应，你就不会觉得那个反应是你的操作造成的。例如，如果你敲打的字符要超过 140 ms 才显示出来，你就不觉得那是你在输入那些字符。你的注意力将从文字的意义上转移到键盘敲击输入的动作上，从而导致速度下降，把打字这个自动处理动作转入了主动意识处理，并提高了出错的几率。

从感觉上判断视野中 4~5 个物体的时间：200 ms（0.2 s，每个物体 50 ms）

如果有人往桌面上丢了两个硬币，问你一共多少个，你只需要瞄一眼就能看出是两个。你不需要明确地去数它们。对三个或者四个硬币，你也能做到。有些人五个也可以。超过四个或者五个，就变难了：你现在就得数，或者如果这些硬币碰巧分成几组落在桌面上，你就能分别感知每组多少然后加起来。这个现象就是我们能够用刻度线来计数的原因。我们将刻度线分为四个一组，然后第五个横穿过一组，就像这样：卌 卌 || 。这么计数感觉是瞬时的，其实不是。每项都要花去 50 ms（Card et al., 1983；Stafford & Webb, 2005）。然而，这要比一个一个计数

快得多了，那样数的话，每项要花去 300 ms。

事件进入意识的编辑"窗口"：200 ms（0.2 s）

我们感受到的事件的发生顺序并不一定就是它们发生的真实顺序。很明显，大脑有个 200 ms 的移动"编辑窗口"，这期间感受到的和回忆起的东西竞相争取获得意识的提升。在这个时间窗内，可能提到意识层面的事件和记忆有可能被其他的取代，甚至是那些在时间窗后期出现的事件。在这个窗口中，事件也可能被重新调整了顺序后进入意识。举一个例子，我们把一个消失后又出现在新的位置的点看成是在移动。为什么呢？我们的大脑肯定不是靠"猜测"第二个点的位置再让我们看到朝那个方向的"幻影"运动，因为不论新的点在哪儿出现，我们看到它的运动方向总是正确的。答案是，第二个点出现在新位置前，我们其实并未察觉到运动。第二个点必须在第一个点消失的 0.2 s 内出现才能让大脑重新组织事件的顺序。

识别了一个事物之后的注意力暂失（对其他事物失去注意）：500 ms（0.5 s）

想象你正在搭乘的地铁缓慢地驶过一个车站，你经过站台上的一些陌生人，但不会去注意他们。接着你发现了站台上的一位朋友，但列车继续往前开，朋友也离开了视线。你开始想那位朋友：关于她的所有思绪和感觉都被触发了。就在这一刻，你面前的窗口的站台上又出现了一位朋友。这次，你有可能就不会注意到他了，因为你的心思还留在第一位朋友那里。这就是注意力暂失（Stafford & Webb, 2005）。请一位同事帮忙，你就能演示注意力暂失。选两个目标单词告诉同事，然后告诉他你会读一串单词，读完之后你想知道这两个目标单词是否出现在这串单词里。快速地以每秒三个单词的速度读出一长串的单词。在这串单词某个位置，放上一个目标单词。如果这个单词之后第一或者第二个单词就是另一个目标单词的话，你的同事多半不会注意到它。

视觉-运动反应时间（对非预期事件的有目的的反应）：700 ms（0.7 s）

这个时长包括从你的视觉系统注意到环境中的某件事情、发起一个有意识的身体动作，到运动系统执行这个动作的时间。如果你开车到一个十字路口，这时红灯亮了，视觉-运动反应时间就是你注意到红灯、决定要停车并踩下刹车的时间。实际把车停下的时间当然不算在这 700 ms 内。车子停下的时间由车速、路面条件等因素决定。这个反应时间不是挠反射时间（旧脑对快速靠近的物体的反应，使你自动闭上眼睛、躲开或者抬手保护自己），挠反射要快出大约 10 倍（见上文）。视觉-运动反应时间是估计值，不同的人稍有不同，也会随着干扰、困乏、血中酒精水平以及年龄上升而增加。

人们对话中交换发言时的最长沉默间隔：大约 1 s

这是正常的对话间隔的大约时长。当间隔超过它，谈话参与者，说的人和听的人，经常会说些东西好让对话继续：他们插入"哦"或者"嗯哼"或者接过话题成为发言的人。听的人对这样的间隔的反应是把注意力转向是什么让发言人停下来。这个间隔的具体时长会因文化而异，但都在 0.5～2 s 之间。

不受干扰地执行单一（单位）操作的时长：6~30 s

当执行一个任务时，人们会把它分解成多个小的子任务。例如，在线买机票由以下子任务组成：（1）去旅行公司或者航空公司网站；（2）输入行程信息；（3）查看结果；（4）选择一个航班；（5）提供信用卡信息；（6）检查购买信息；（7）完成购买。一些子任务可以继续细分，例如输入行程信息由输入出发地、目的地、日期等组成。这样就把任务分解成了子任务，这些子任务可以在注意力不被打断的条件下完成，并且这些子目标和子任务需要的所有信息要么存在当时工作记忆中，要么可以直接从环境中获得。这些最底层的子任务就叫做"单位任务"（Card et al., 1983）。在子任务之间，人们往往从工作中抬头张望，看看是否有其他值得注意的事情，或许看看窗外、喝口咖啡什么的。各种活动，诸如文档编辑、输入支票本上的交易、设计电子电路和空战中的飞行操作中，都可以观察到单位任务，并且它们都差不多在 6～30 s 时间内。

时间常数的工程近似法：数量级

交互系统应该设计得满足用户的时间要求。然而，要试着为这么多样的感觉与认知时间常数设计交互系统是几乎不可能的。

但设计交互系统的是工程师，不是科学家。我们不需要为所有大脑相关的时间常数作一一考虑，我们只要把系统设计得能够为人工作就好了。这样粗略的需求让我们可以将许多感觉与认知上的时间常数合并为小的集合，从而更容易教学、记忆和在设计中使用。

审视之前展示的关键时长能够得到一些有用的分组。与声音相关的感觉时间都在毫秒级，所以我们可以把它们都归纳到那个值。至于是 1 ms、2 ms 还是 3 ms，我们不在乎。我们只考虑到 10 倍的级别。

类似地，我们可以得到 10 ms 左右、100 ms、1 s、10 s 和 100 s 级的分组。100 s 以上就超过了大多数交互设计者需要考虑的范围。因此，下面这些合并了的时间限制为设计交互系统提供了需要的精度。

❑ 0.001 s（1 ms）：能够被察觉到的最短的沉默间隔。

❑ 0.01 s（10 ms）：前意识（"潜意识"）的视觉感知，最短可察觉到的笔墨延迟，音频融合。

❑ 0.1 s（100 ms）：感知 1 ～ 4 个物体，非自发眼动（眼跳），因果关系的感知，感知-运动反馈，视觉融合，挠反射，辨别物体，自主意识的编辑"窗口"，自主意识到的"那一刻"。

❑ 1.0 s：谈话中的平均间隔，有准备的视觉-运动反应时间，注意力暂失。

❑ 10 s：单位任务、在任务上不可打断的注意力，一个复杂任务的一步。

❑ 100 s（1.6 min）：紧急情况下做关键决定的时间。

注意到以上这些时限形成一个很方便的序列：每个都是前一个的 10 倍（即一个数量级）。这使得设计者很容易记住这个序列，虽然要记住每个时限还是有点儿难。

为满足实时交互的设计

要让用户觉得响应度高，交互系统应遵循下面这些准则。

❑ 立刻告知收到用户的动作，即使回应用户需要时间。保持用户对因果关系的感知。

❑ 让用户知道软件是否在忙。

❑ 在等待一个功能完成的同时允许用户做别的事情。

❑ 动画要做到平滑和清晰。

❑ 让用户能够终止（取消）他们不想要的长时间的操作。

❑ 让用户知道长时间的操作需要多长时间。

❑ 尽可能让用户来掌控自己的工作节奏。

上面说的指导原则中，"立刻"意味着在 0.1 s 之内。比这长得多的时间后，用户界面将移出因果感知、反射动作、感知-运动反馈和自动化的行为，而进入对话间隔和有目的的行为（见 132 页"我们的大脑需要多长时间去……？"）。两秒钟后，系统超出了交换对话所期待的时长，进入了单位任务、做决定和计划安排的时长范围。

既然我们已经列出了人类感觉和认知上的时间常数，并把他们合并到简化了的小组中，我们就可以在上述的准则中对"立刻"、"需要时间"、"平稳地"以及"长时间"这些词进行定量（见表 12-1）。

表 12-1　人机交互的时间底线

时间底线	感觉和认知功能	交互系统设计的底线
0.001 s	❏ 可检测到音频中无声间断的最短时间;	❏ 音频反馈（如声音、"听觉信号"或音乐）中断或缺漏不能超过这个时间;
0.01 s	❏ 潜意识的感知; ❏ 能够注意到的最短的"笔-墨"时延;	❏ 让人不知不觉中熟悉图像或符号; ❏ 生成不同音高的声调;
0.1 s	❏ 感知 1～4 项; ❏ 无意识的眼睛移动（眼急动）; ❏ 挠反射; ❏ 因果关系感知; ❏ 知觉运动反馈; ❏ 视觉融合; ❏ 物体识别; ❏ 意识的编辑窗口期; ❏ 知觉的"瞬间";	❏ 假定用户在100 ms内可以"接受"1～4个屏幕项，超过4个则每项要花300 ms; ❏ 成功的手眼协调反馈，例如鼠标指针移动，通过鼠标移动、缩放、滚动或绘制对象; ❏ 点击按钮或链接的反馈; ❏ 显示"忙碌"标识; ❏ 允许发言的交叉重叠; ❏ 动画帧与帧之间最长的间隔时间;
1 s	❏ 最长的谈话间歇; ❏ 对意外事件的视觉运动反应时间; ❏ 可被注意到的"闪断";	❏ 对于长时间操作显示进度指示条; ❏ 完成用户请求的操作，如打开窗口; ❏ 完成未请求的操作，如自动保存; ❏ 展示完信息后可用于其他计算（如启用原先禁用的对象）的时间; ❏ 展示完重要信息之后必要的等待时间（之后再继续展示其他信息）;
10 s	❏ 不会打断对某个任务的关注; ❏ 单元任务：较大任务的一部分;	❏ 完成多步任务中的一步，如在文本编辑器中的一次编辑; ❏ 完成用户对一次操作的输入; ❏ 完成向导（多页对话框）中的一步;
100 s	❏ 紧急情况下的重大决定;	❏ 假定已经提供了供决策用的所有信息，或者此时此刻这些信息都可以看到;

0.001 s（1 ms）

如前所述，人类听觉系统对声音之间非常短的间隔很敏感。如果一个交互系统需要提供音频反馈或者内容，那么它的声音生成软件应该做到避免网络瓶颈、被置换、死锁以及其他干扰。否则，它就可能产生可被察觉到的间隔、破声或者音轨之间的不同步。音频反馈和内容应该由准时的进程提供，这些进程应有足够高的优先级和足够多的资源。

0.01 s（10 ms）

"潜意识"即使有，也很少在交互系统中使用，因此我们不需要考虑它。在这需要提的只是，如果设计者想让用户在无意识的情况下提高对某些视觉符号或者图像的熟悉度，那么可以重复展示这些图片或者符号，每次 10 ms 左右。还值得一提的是，非常短暂地接触一幅图像能够提高用户对它的熟悉度，但效果很弱，还不足以让人们喜欢或者不喜欢某件产品。

软件产生音调的一个办法是以不同频率发出咔哒声。如果咔哒声之间少于 10 ms，听起来就像蜂鸣声，音调由咔哒声的频率决定。如果咔哒声间隔超过 10 ms，用户就能听出单个的咔哒声了。

采用基于触摸笔输入的系统应确保电子"墨水"与触摸笔之间间隔不超过 10 ms，否则用户就会注意到时延并觉得恼火。

0.1 s（100 ms）

如果软件对用户的动作显示反馈用了超过 0.1 s，因果关系的感知就被打破了。软件的反馈也就不会被视为对用户动作的反应。因此，屏幕上的按钮在被点击后有 0.1 s 的时间去显示，否则用户就会觉得自己没点到而再点一次。这不是说按钮必须在 0.1 s 内完成它的功能，只是说按钮必须在 10 ms 内显示它们被按下了。

关于挠反射的设计要点是交互系统不应使用户惊吓而导致反射动作。除此之外，挠反射和它的时长与交互系统关系不大。在人机交互中很难想象能够通过挠反射获得有益的应用，但可以想象的是具有高音量、有突然触觉刺激的游戏杆或者三维虚拟视觉环境的游戏在某些情境下可能有意触发用户挠反射。例如，一辆车感应到了将要发生的碰撞，可以做出某些动作触发乘客的反射动作从而在碰撞时保护自己。

如果一个正在被用户拖曳或者调整大小的对象对用户的动作有 0.1 s 的时延，用户就难以对它做期望的放置或者调整。因此，交互系统应该将手眼协调任务的优先级调高，从而保证反馈的时延在这个时限之内。如果无法达到这个目标，系统就不应被设计成需要紧密的手眼协调。

如果完成一个操作的耗时超过感知的"时刻"（0.1 s），应显示一个忙碌标识。如果忙碌标识能够在 0.1 s 内出现，还能作为确认动作的标识。否则，软件的反馈应有两个部分：一个在 0.1 s 内的快速确认，并在 1 s 内跟着一个忙碌（或者进度）标识。关于显示忙碌标识的指导见下文。

大脑能够在这个大致的时间窗内在事件进入意识前对它们进行重新排序。人类语言非常容易被这样的重新排序影响。如果你在听几个人谈话，并且有人在别人说完之前就开始发言（在这个时间窗内），你的大脑就能够自动调整让你能够听到有序的发言，而不感觉到重叠。电视和电影有时就利用这个现象来加速那些在正常情况下耗时太长的对话。

1.0 s

因为 1 s 是对话中可以有的最长间隔，又因为交互系统的操作是一个对话的形式，所以交互系统应避免自己一方的长时间间隔。否则，人类用户就会怀疑发生了什么。系统有 1 s 的时间去执行用户要求做的或者标识出操作需要多少时间。要不然，用户就会失去耐心。

如果一个操作要耗时几秒钟，就需要一个进度指示。在交互系统中，进度指示是系统一方保持对对话协议的遵守："我在处理这个问题，这是我目前的进度，还需要这么多时间才能完成。"关于进度指示的更多指导原则见下文。

对一个未预料的事件做有准备的反应，最小时间大约也是 1 s。因此，当信息突然出现在屏幕上时，设计者可以假设用户需要 1 s 做出反应（除非它导致了挠反射，见上文）。这个时延在系统需要显示一个交互对象但无法在 0.1 s 内完成渲染和交互准备时就有用了。实际上，系统可以显示一个"伪造的"、不可交互的版本，然后再花时间（1 s）去填补细节和让对象完成可交互的准备。如今的电脑在 1 s 内已经可以做很多事情了。

10 s

10 s 大约是人们通常将计划安排和大块任务进行分解的时间单位。单位任务的例子有：在一个文本编辑应用程序中完成一个单一的编辑，在银行账户程序中输入一个交易，在空战中完成一次机动转向。软件应支持对任务做 10 s 一块的分解。

10 s 也差不多是用户愿意花费在"重量级"操作上的时间，例如文件交换和搜索。如果更长，用户就开始失去信心。如果系统提供了进度反馈，操作的时间可以更长些。

类似地，多页"向导"对话框中的每一步应该最多消耗用户 10 s 时间。如果其中一步要耗费显著多于 10 s 才可完成，这多半应被分解为多个更小的步骤。

100 s（约 1.5 min）

支持快速关键决策的交互系统应做如下设计：所有需要信息都显示在决策者眼前，或者可以通过最小量的浏览和搜索，容易地获得。此类情况下最好的用户界面是用户只要朝显示的地方移动眼球，就可以获得所有重要信息[①]（Isaacs & Walendowski，2001）。

达到高响应度交互系统的另外一些指导原则

除了以上各个合并了的人机交互时限的设计指导规则，还有其他使交互系统达到高响应度的一般性指导原则。

---

① 有时被称做"无点击"界面。

使用忙碌标识

忙碌标识的复杂度有所不同。在低复杂度端，我们有简单的静态等待光标（例如，一个沙漏）。除了告知软件目前正在运行无法响应用户操作之外，没有提供其他信息。

接下来，有动画等待标识。其中一些是动画等待光标，比如 Mac OS 上的旋转色轮。一些不是光标而是在屏幕某处较大的图像，例如一些浏览器中的"正在载入数据"的动态显示。动画的等待标识比静态的对用户更友好，因为它们显示系统正在工作，而不是崩溃或者挂起以等待网络连接或数据解锁。当然，忙碌的动态标识应与其代表的实际的计算相同步。被简单调用而独立运行的动态等待标识不是真实的忙碌标识：即使所代表的处理已经挂起或者崩溃了，它们也还在跑着，因此误导了用户。

一个不使用忙碌标识的常见的借口是操作很快就会结束，因此不需要显示忙碌标识。但多快才是"快"？万一操作不是每次都很快执行完呢？如果用户的电脑比开发者的电脑慢很多，或者没有优化呢？如果操作要读取的数据一时被锁住了呢？再如果操作需要访问网络服务而网络此时拥堵或者断线了呢？

软件应为任何在运行时会阻止用户继续下一步的操作显示一个忙碌标识，即使这个操作通常能够很快执行完（比如在 0.1 s 内）。万一操作堵塞或者死机，这个标识对用户可能是非常有用的。再进一步，它没有任何坏处：当操作以平常的速度运行，标识很快地显示后再消失，用户几乎不会察觉到。

使用用户进度指示

进度标识要比忙碌标识更好，因为它让用户看到还剩下多少时间。再重复一次：显示进度标识的时限是 1 s。

进度表可以是图形的（例如一个进度条），也可以是文字的（例如：文件复制时的计数器），或者图形与文字合并起来。它们极大地提高了应用程序的响应度，虽然并没有缩短操作完成需要的时间。

任何超过几秒钟时间的操作都应有一个进度标识。操作的时间越长，进度标识就越重要。许多非电脑的设备都提供进度标识，我们也就往往把它们视为理所当然的。不显示当前在哪一层的进度的电梯是让人恼火的。大多数人都不喜欢没有显示此次操作还剩下多少时间的微波炉。

以下是设计有效的进度标识的一些指导原则（McInerney & Li，2002）。

❑ 显示还剩下多少工作，不是完成了多少。这么说不好："已经复制了 3 个文件。"这么说才好："已经复制了 4 个文件中的 3 个。"

- 显示总进度，而不是当前步骤的进度。这么说不好："此步骤还有 5 s。"这么说才好："还剩下 15 s。"
- 显示一个操作已经完成了的百分比时，从 1% 开始，而不是 0%。如果进度条在 0% 上超过了 1 ～ 2 s，用户就会开始担心。
- 类似地，在操作结束时，只要非常短暂地显示 100%。如果一个进度条在 100% 的地方超过 1 ～ 2 s，用户就会以为出问题了。
- 进度的显示应是平缓的、线性的而不是不稳定爆发式的。
- 用人们平时使用的，而不是电脑用的精度。这么说不好："240 s"这么说才好："大约 4 min。"

单位任务内的延迟比单位任务之间的延迟麻烦

单位任务的有用之处不仅在于它是一种了解用户如何（以及为何）分解大型任务的方式，它们还帮我们深入了解什么时候系统的反应延时是最有害或者令人讨厌的，而什么时候是最无害也最不令人讨厌的。

在一个单位任务执行的时候，用户将目标和所需信息保存在工作记忆中或者知觉区内。在完成一项单位任务后，移向下一个任务前，他们会放松一下，再把下一个任务所需的信息放进记忆或者视野内。

因为单位任务是工作记忆和感知区域必须保持相当稳定的时间段，所以期间非预期的系统延迟是特别有害和令人厌恶的。它们能够让用户忘记一些甚至全部的当前工作状态。相对来说，单位任务之间的系统延迟就不那么有害或者讨厌了，即使它们会降低用户的整体工作效率。

在单位任务间和单位任务内系统反应延迟造成影响的差异在用户界面设计指导原则中用的词是任务"封闭性"，如用户界面设计手册的经典著作《人机界面设计指导原则》（Brown，1988）中说的：

> 一个决定反应延迟是否可接受的关键因素是封闭性的高低。……一个在主要单位工作结束后的延迟并不会困扰用户或者对性能有负面影响。然而，在较大单位任务中的小步骤之间的延迟可能就会让用户忘记计划中的下一个步骤。总的来说，有高度封闭性的动作，例如保存一个文档，对延迟较不敏感。封闭性低的操作，例如敲击字符并看到它在屏幕上显示出来，对反应时间延迟更敏感。

底线就是：如果一个系统有延迟，应把延迟放在单位任务之间，而不是之内。

先显示重要的信息

通过先显示重要的信息再显示详细和辅助信息，可以使交互系统看起来速度很快。不要等到所有显示内容完全渲染后才让用户看到。给用户一些东西去动动脑子，同时运行系统。

这样做有不少好处。首先，可以把用户的注意力从关注其他尚未呈现的信息转移开，并让用户相信计算机很快就对他们的问题给出答案。其次，研究表明，相对于进度指示器，用户更喜欢看到逐步深入的结果（Geelhoed, Toft, Roberts, & Hyland, 1995）。逐步显示的结果，可以让用户提前计划下一个单元任务。最后，由于存在前述用户对所见对象有意识地做出反应的最短时间，这样在用户想执行任何操作之前，系统都至少可以有 1 min 以上的准备时间。下面举几个例子。

- 文档编辑软件。打开文档时，文档编辑软件会在第一时间打开第一页，而不会等到加载完整个文档后才打开。
- Web 或数据库搜索引擎。在搜索时，搜索引擎会尽早在找到结果后就立即显示出来，同时再搜索更多匹配内容。

高分辨率的图像渲染起来比较慢，这个问题在 Web 浏览器中特别突出。为了减少用户对渲染图像的感知时间，系统可以先迅速渲染出低分辨率的图像，然后再重新渲染出高分辨率的图像。由于人的视觉系统对图像具有整体感知的特点，因此这样就比慢吞吞地从上至下显示高分辨率的图像给人的感觉更快（见图 12-3）。有一个例外是，不推荐对文本先显示低分辨率版，再显示高分辨率版，因为这样会让用户感觉不舒服（Geelhoed et al., 1995）。

(a)

(b)

图 12-3
如果显示一幅图像要花两秒钟以上的时间，可以先显示一幅完整的低分辨率图像（a），而不是从上到下慢慢显示出高分辨率图像（b）

在手眼协调的任务中伪装重量级计算

在交互系统中，一些用户动作要求通过手眼协调来快速连续地调整，直到任务完成。这样的例子包括滚动翻阅文档，移动游戏中的角色穿过场地，调整窗口大小或者把一个对象拖曳到新的位置上。如果反馈在用户动作之后超过 0.1 s，用户完成目标就有困难。如果你的系统无法足够快地更新显示来达到这个手眼协调的时限，就可以先提供一个轻量级的模拟反馈，直到目标达到然后再执行真实的操作。

图像编辑器在用户尝试移动或者缩放对象时提供的橡皮带轮廓就是伪造了反馈。一些文档编辑软件对文档内部数据结构做快速临时的修改来代表用户操作的效果，之后再整理优化。

提前处理

尽可能赶在用户之前做处理。软件可以利用系统负载低的时候提前计算对高优先级请求的反应。因为用户是人，就一定会有系统负载低的时候。交互系统大部分时间里往往是在等待用户的输入。不要浪费时间！利用这些时间为用户可能想要的事情做准备。如果用户没有请求那些事情呢？无所谓，反正软件是在"空闲"时间里做的，又不占用其他时间。以下是一些使用后台处理在用户要求之前完成工作的例子。

- ❑ 一个文本搜索功能在你查看当前目标单词时，已经在查找目标单词出现的下一个位置。当你要它找下一个时，它已经找到了，也就显得非常快了。
- ❑ 一个文档查看程序在你查看当前页的同时已经在渲染下一页，当你要看下一页时，它已经准备好了。

根据用户输入的优先级而不是输入的顺序来处理

任务完成的顺序通常很重要。盲目地按照请求的顺序去执行任务就可能浪费时间和资源，甚至事倍功半。交互系统应该寻找机会对要做的任务进行重新排列。有时重新排列任务能够让整组任务完成得更有效率。

航空公司员工会在登机手续办理处的长队中，寻找那些航班马上要起飞的乘客并尽快帮他们办理登机手续，这使用的就是非顺序输入处理。网页浏览器在用户点击后退或者停止按钮，或者点击另一个链接后，应该马上停止页面载入和显示当前页面。考虑到载入页面和显示页面所需的时间，对用户接受度来说，能够终止页面载入是很关键的。

监控时间承诺，降低工作质量来保证不落后

交互系统应能够衡量它是否达到实时的时限标准。如果没有达到或者确定发现存在错过期限

的风险，它可以采用更简单、更快的方法，通常是以临时降低输出质量为解决方法。这种方式必须基于真正的时间，而不是处理器的时钟，从而能够在不同电脑上都获得同样的响应度。

一些交互动画使用这样的技术。如之前描述的，要看起来平滑，动画需要每秒 20 帧的速度。

在 20 世纪 80 年代后期，施乐公司 Palo Alto 研究中心（PARC）为展示交互动画开发了一个软件引擎，它将帧速率当做动画最重要的一方面（Robertson，Card & Mackinlay，1989，1993）。如果图形引擎因为图形复杂，或者用户正在与其交互，难以保持最小的帧速率，它就将简化自己的渲染工作，牺牲例如文字标记、三维效果和高光与阴影以及颜色等细节。这个想法的出发点在于宁可临时降低动画的三维效果也不能将帧速率降到限度之下。

PARC 开发的 Cone Tree 就基于这个图形引擎。它对层级结构的数据，比如文件夹和次级文件夹（见图 12-4）进行交互的展示。用户能够抓取树的任何部分并旋转它。当树在旋转时，软件可能没有足够的时间在保持动画平滑的同时，对每一帧的细节进行渲染，那么为了节省时间，它就可能把文件名的标签渲染为黑色块而不是文字。当用户停止旋转树时，它再对所有细节进行渲染。大多数用户在图形移动过程中不会注意到图形质量的降低，因为他们将无法看清标签上的字归咎于运动导致的模糊。

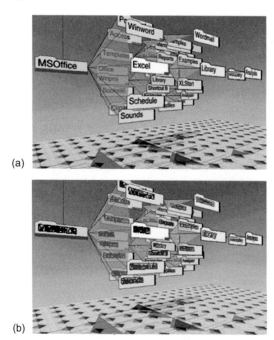

图 12-4
Cone Tree（a）在用户旋转树的时候，把文件夹标签渲染成图块（b）

提供及时反馈，即使网页也应如此

网络应用的开发者可能会将以上的时间限制视为幻想而不予理睬。的确，要在网页上达到这些时限要求很难，经常是不可能的。然而，这些时限也是心理上的时间常数，上百年进化后存在于我们脑子里，控制着我们对响应度的感知。我们不可以随心所欲调整它们，使其适应网络或者任意技术平台的限制。如果一个交互系统无法满足这些时限，即使它是网页应用，用户还是会认为它的响应度很差。这就意味着大部分网页软件的响应度都很低。问题是：设计者和开发者们如何能够在网页上尽可能提高响应度？下面是一些对策。

- ❑ 尽可能减小图片的尺寸和数量。
- ❑ 提供快速显示的缩略图或者概略图，想办法只在需要的时候才显示细节。
- ❑ 当数据量太大或者一次显示太消耗时间时，让系统提供一个所有数据的概览，并允许用户深入到他们需要的数据的具体部分和细节层面。
- ❑ 使用层叠样式表（CSS）来对页面渲染和布局，不要使用展示性的 HTML、框架或者表格。
- ❑ 使用浏览器内置组件，比如错误提示框，而不是用 HTML 来创建自己的提示框。
- ❑ 下载小应用程序和脚本到浏览器，使用 Ajax 方法。

实现高响应度是重要的

通过遵循本章介绍的指导规范和 Johnson（2007）中提到的更多关于响应度指导规范，交互设计者和开发人员就能够创造满足人类实时限制要求的系统并使得用户对响应度感到满意。然而软件业界必须认识到下面这些关于响应度的事实。

- ❑ 对用户来说响应度很重要。
- ❑ 与性能不同，响应度的问题不是仅仅靠优化性能或者使用更快的硬件就能够解决的。
- ❑ 响应度是设计问题，不仅仅是实现问题。

历史经验告诉我们，更快的处理器不能解决这个问题。今天的个人电脑与 30 年前的超级电脑差不多快，但人们还总是在等他们的电脑响应，抱怨响应度不够。10 年后，当个人电脑和电子设备与今天最强大的超级电脑一样强大时，响应度仍会是一个问题，因为那时的软件将对机器和连接它们的网络有更高的要求。例如，今天的文字和文档编辑软件能够在后台进行拼写检查，将来的版本可能在后台进行基于互联网的实时检查。而且，10 年后的软件还可能有以下这些能力和技术：

- ❑ 演绎推理；

  - ❏ 图像识别；
  - ❏ 实时语音生成与识别；
  - ❏ 下载 TB 级的文件；
  - ❏ 家庭设备之间的无线通信；
  - ❏ 上千个远程数据库的数据整理与校对；
  - ❏ 对整个网络的复杂搜索。

结果就是，与今天的系统相比，将来的系统将交给电脑更重的负荷。历史已经显示，随着电脑变得越来越强大，其大量的能力都被要求更高处理能力的应用所占用。因此，尽管性能不断攀升，响应度的问题还是永远不会消失。

关于影响了响应度的设计缺陷、高响应度系统的设计准则，以及更多实现高响应度的技巧，见（Johnson，2007）。

总结

在引言中，我陈述了在实际设计中应用交互设计准则不是无需动脑的简单工作。总有各种各样的限制出现，逼着我们做出权衡取舍。设计者有时为了遵循一条准则而不得不打破另一条准则，因此他们必须有能力决定在某种情况下哪条准则更重要。

这就是为什么交互设计是一门技艺，而不是按部就班谁都可以照做的。学习这门技艺不仅要学习设计准则，而且要学习在不同的设计环境下如何判断使用哪条规则。

本书的目的是简要地提供交互设计准则所基于的人类感觉和认知心理学背景。现在你已经有了这些背景知识，希望你所应用的任何用户界面设计准则看起来都更合理了。这些准则看起来不再像某个用户界面设计大师随意制定的规则了。现在也应该很清晰地看到，所有用户界面设计准则（见附录）的基础都是一样的。你现在能够更好地在实际的设计环境中解释、权衡和应用用户界面设计准则。

警告

技术，尤其是计算机技术，发展迅速。最新的计算机交互系统变化如此之快，难以保证在一本书出版后，其中提到的某个技术和设计不会过时。

另一方面，关于人们如何感知、学习和思考的基本知识变化并不快。人类的感觉和认知的基本运转在这几百年甚至几千年里相当稳定。从长远来看，人类的感觉和认知将继续进化，但并不会在本书所处的时间跨度之内发生。然而，人们已经在使用技术去提高我们的感知、记忆和思考——这个趋势将继续下去。因此，人类的感知和思考能力在这几十年内将随着工具的普及和进步以及我们对工具的依赖的日渐增长而发生变化。

　　第三个方面，人类对于自身感觉和认知的认识，像计算机技术一样，在快速发展。尤其是在过去的 20 年里，依靠功能 MRI、眼动跟踪系统和神经网络模拟这样的研究工具，我们对人脑是如何工作的理解有了巨大提高。这使得认知心理学从仅仅能够预测行为的"黑箱"模型发展到能够解释人脑如何处理和存储信息并产生行为。出于它们对设计者的价值，这本书中我尝试理解和展示其中一些令人兴奋的新发现。因为我知道，就像计算机技术一样，人类认知心理学最前沿的知识也将继续发展，本书所说的可能很快就过时了。对于设计者来说，了解人们如何感知和思考的知识（大部分都是正确的），并基于此向前迈进，要远好于对这些一无所知。

著名的用户界面设计准则

下面是已经发表过的一些用户界面设计准则。

Norman(1983A)

从研究中得到的推论

- □ 模式错误意味着需要更好的反馈。
- □ 描述错误说明需要更好的系统配置。
- □ 缺乏一致性会导致错误。
- □ 获取错误意味着需要避免相互重叠的命令序列。
- □ 激活的问题说明了提醒的重要性。
- □ 人会犯错，所以要让系统对错误不敏感。

教训

- □ **反馈**　用户应该能够清楚地了解系统的状态。最好是以清晰明确的形式展现系统状态，从而避免在对模式的判断上犯错。
- □ **响应序列的相似度**　不同类型的操作应有非常不同的指令序列（或者菜单操作模式），从而避免用户在响应的获取和描述上犯错。
- □ **操作应该是可逆的**　应尽可能可逆。对有重要后果且不可逆的操作，应提高难度以防止误操作。
- □ **系统的一致性**　系统在其结构和指令设计上应保持一致的风格，从而尽量减少用户因记错或者记不起如何操作引发问题。

Shneiderman (1987)；Shneiderman & Plaisant (2009)

- ❑ 力争一致性。
- ❑ 提供全面的可用性。
- ❑ 提供信息充足的反馈。
- ❑ 设计任务流程以完成任务。
- ❑ 预防错误。
- ❑ 允许容易的操作反转。
- ❑ 让用户觉得他们在掌控。
- ❑ 尽可能减轻短期记忆的负担。

Nielsen & Molich (1990)

- ❑ 一致性和标准。
- ❑ 系统状态的可见性。
- ❑ 系统与真实世界的匹配。
- ❑ 用户的控制与自由。
- ❑ 错误预防。
- ❑ 识别而不是回忆。
- ❑ 使用应灵活高效。
- ❑ 具有美感的和极简主义的设计。
- ❑ 帮助用户识别、诊断错误，并从错误中恢复。
- ❑ 提供在线文档和帮助。

Stone et al. (2005)

- ❑ **可见性**　朝向目标的第一步应该清晰。
- ❑ **自解释**　控件本身能够提示使用方法。
- ❑ **反馈**　对已经发生了或者正在发生的情况提供清晰的说明。
- ❑ **简单化**　尽可能简单并能专注具体任务。
- ❑ **结构**　内容组织应有条理。
- ❑ **一致性**　相似从而可预期。
- ❑ **容错性**　避免错误，能够从错误中恢复。
- ❑ **可访问性**　即使有故障，访问设备或者环境条件存在制约，也要使所有目标用户都能够使用。

Johnson (2007)

原则 1：专注于用户和他们的任务，而不是技术

- 了解用户。
- 了解所执行的任务。
- 考虑软件运行环境。

原则 2：先考虑功能，再考虑展示

- 开发一个概念模型。

原则 3：与用户看任务的角度一致

- 要争取尽可能自然。
- 使用用户所用的词汇，而不是自己创造的。
- 封装，不暴露程序的内部运作。
- 找到功能与复杂度的平衡点。

原则 4：为常见的情况而设计

- 保证常见的结果容易实现。
- 两类"常见"："很多人"与"很经常"。
- 为核心情况而设计，不要纠结于"边缘"情况。

原则 5：不要把用户的任务复杂化

- 不给用户额外的问题。
- 清除那些用户经过琢磨推导才会用的东西。

原则 6：方便学习

- "从外向内"而不是"从内向外"思考。
- 一致，一致，还是一致。
- 提供一个低风险的学习环境。

原则 7：传递信息，而不是数据

- 仔细设计显示，争取专业的帮助。
- 屏幕是用户的。
- 保持显示的惯性。

原则 8：为响应度而设计

- 即刻确认用户的操作。
- 让用户知道软件是否在忙。
- 在等待时允许用户做别的事情。
- 动画要做到平滑和清晰。
- 让用户能够终止长时间的操作。
- 让用户能够预计操作所需的时间。
- 尽可能让用户来掌控自己的工作节奏。

原则 9：让用户试用后再修改

- 测试结果会让设计者（甚至是经验丰富的设计者）感到惊讶。
- 安排时间纠正测试发现的问题。
- 测试有两个目的：信息目的和社会目的。
- 每一个阶段和每一个目标都要有测试。

参考文献

Angier, N. (2008). Blind to change, even as it stares us in the face. *New York Times*. April 1, 2008. www.nytimes.com/2008/04/01/science/01angi.html.

Arons, B. (1992). A review of the cocktail party effect. *Journal of the American Voice I/O Society*, *12*, 35-50.

Apple Computer (2009). *Apple human interface guidelines*. developer.apple.com/mac/library/documentation/UserExperience/Conceptual/AppleHIGuidelines

Barber, R., & Lucas, H. (1983). System response time, operator productivity, and job satisfaction. *Communications of the ACM, 26*(11), 972-986.

Bays, P. M., & Husain, M. (2008). Dynamic shifts of limited working memory resources in human vision. *Science, 321*, 851-854.

Beyer, H., & Holtzblatt, K. (1997). *Contextual design: A customer-centered approach to systems design*. Morgan-Kaufmann Publishers.

Blauer, T. (2007). On the startle/flinch response. *Blauer tactical intro to the spear system: Flinching and the first two seconds of an ambush*. YouTube video: www.youtube.com/watch?v=jk_Ai8qT2s4.

Broadbent, D. E. (1975). The magical number seven after fifteen years. In A. Kennedy & A. Wilkes (Eds.), *Studies in long-term memory* (pp. 3-18). Londmon: Wiley.

Brown, C. M. (1988). *Human-computer interface design guidelines*. Norwood, NJ: Ablex Publishing Corporation.

Boulton, D. (2009). Cognitive science: The conceptual components of reading & what reading does for the mind. Interview of Dr. Keith Stanovich, Children of the Code website: www.childrenofthecode.org/interviews/stanovich.htm

Card, S. (1996). Pioneers and settlers: Methods used in successful user interface design. In M. Rudisill, C. Lewis, P. Polson, & T. McKay (Eds.), *Human-computer interface design: Success cases, emerging methods, real-world context*. San Francisco: Morgan Kaufmann.

Card, S., Moran, T., & Newell, A. (1983). *The psychology of human-computer interaction*. Hillsdale, NJ: Lawrence Erlbaum Associates.

Card, S., Robertson, G., & Mackinlay, J. (1991). *The Information Visualizer, an Information Workspace*. Proceedings of ACM CHI'91, 181-188.

Carroll, J., & Rosson, M. (1984). Beyond MIPS: Performance is not quality. *BYTE*, 168-172.

Cheriton, D. R. (1976). Man-machine interface design for time-sharing systems. *Proceedings of the ACM National Conference*, 362-380.

Chi, E. H., Pirolli, P., Chen, K., & Pitkow, J. (2001). Using information scent to model user information needs and actions on the web. *Proceedings of ACM SIGCHI Conference on Computer-Human Interaction (CHI 2001)*, 490–497.

Clark, A. (1998). *Being there: Putting brain, body, and world together again.* Cambridge, MA: MIT Press.

Cowan, N., Chen, Z., & Rouder, J. (2004). Constant capacity in an immediate serial-recall task: A logical sequel to Miller (1956). *Psychological Science, 15*(9), 634–640.

Duis, D., & Johnson, J. (1990). Improving user-interface responsiveness despite performance limitations. *Proceedings of IEEE CompCon'90*, 380–386.

Geelhoed, E., Toft, P., Roberts, S., & Hyland, P. (1995). To influence time perception. *Proceedings of ACM CHI'95, 5*, 272–273.

Grudin, J. (1989). The case against user interface consistency. *Communications of the ACM, 32*(10), 1164–1173.

Hackos, J., & Redish, J. (1998). *User and task analysis for interface design.* New York: Wiley.

Isaacs, E., & Walendowski, A. (2001). *Designing from both sides of the screen: How designers and engineers can collaborate to build cooperative technology.* Indianapolis, Indiana: SAMS.

Johnson, J. (1987). How faithfully should the electronic office simulate the real one? *SIGCHI Bulletin*, 21–25.

Johnson, J. (1990). Modes in non-computer devices. *International Journal of Man–Machine Studies, 32*, 423–438.

Johnson, J. (2007). *GUI bloopers 2.0: Common user interface design don'ts and dos.* San Francisco, CA: Morgan-Kaufmann Publishers.

Johnson, J., & Henderson, A. (2002). Conceptual models: Begin by designing what to design. *Interactions*, 25–32.

Johnson, J., Roberts, T., Verplank, W., Smith, D. C., Irby, C., Beard, M., & Mackey, K. (1989). The xerox star: A retrospective. *IEEE Computer, September*, 11–29.

Jonides, J., Lewis, R. L., Nee, D. E., Lustig, C. A., Berman, M. G., & Moore, K. S. (2008). The mind and brain of short-term memory. *Annual Review of Psychology, 59*, 193–224.

Koyani, S. J., Bailey, R. W., & Nall, J. R. (2006). *Research-based web design and usability guidelines.* US Department of Health and Human Services. Website: usability.gov/pdfs/guidelines.html.

Krug, S. (2005). *Don't make me think: A common sense approach to web usability* (2nd ed.). Indianapolis: New Riders Press.

Lambert, G. (1984). A comparative study of system response time on program developer productivity. *IBM Systems Journal, 23*(1), 407–423.

Landauer, T. K. (1986). How much do people remember? Some estimates of the quantity of learned information in long-term memory. *Cognitive Science, 10*, 477–493.

Liang, P., Zhong, N., Lu, S., Liu, J., Yau, Y., Li, K., & Yang, Y. (2007). *The neural mechanism of human numerical inductive reasoning process: A combined ERP and fMRI study.* Berlin: Springer Verlag.

Lindsay, P., & Norman, D. A. (1972). *Human information processing.* New York and London:

Academic Press.

Marcus, A. (1992). *Graphic design for electronic documents and user interfaces*. Reading, MA: Addison-Wesley.

Marr, D. (1982). *Vision*. New York, NY: W. H. Freeman. p. 101, Figure 3-1, attributed to R. C. James.

McInerney, P., & Li, J. (2002). Progress indication: Concepts, design, and implementation, July, IBM. *Developer Works*. Website: www-128.ibm.com/developerworks/web/library/us-progind.

Microsoft Corporation (2009), *Windows User Experience Interaction Guidelines*: http://www.msdn.microsoft.com/en-us/library/aa511258.aspx

Miller, G. A. (1956). The magical number seven, plus or minus two: Some limits on our capacity for processing information. *Psychological Review*, *63*, 81-97.

Miller, R. (1968). Response time in man–computer conversational transactions. *Proceedings of IBM Fall Joint Computer Conference Vol. 33*, 267-277.

Monti, M. M., Osherson, D. N., Martinez, M. J., & Parsons, L. M. (2007). Functional neuroanatomy of deductive inference: A language-independent distributed network. *NeuroImage*, *37*(3), 1005-1016.

Mullet, K., & Sano, D. (1994). *Designing visual interfaces: Communications oriented techniques*. Prentice-Hall.

Nielsen, J. (2003). Information foraging: Why Google makes people leave your site faster, Alertbox, June 30, 2003.

Nielsen, J., & Molich, R. (1990). Heuristic evaluation of user interfaces. *Proceedings of ACM CHI'90 Conference*. (Seattle, WA, 1-5 April), 249-256.

Norman, D. A. (1983a). Design rules based on analysis of human error. *Communications of the ACM*, *26*(4), 254-258.

Norman, D. A. (1983b). Design principles for human–computer interfaces. In A. Janda (Ed.), *Proceedings of the CHI-83 conference on human factors in computing systems (Boston)*. New York: ACM. Reprinted in *Readings in Human-Computer Interaction*, ed. by Ronald M. Baecker and William A. S. Buxton. San Mateo, CA: Morgan-Kaufmann Press (1987).

Norman, D. A., & Draper, S. W. (1986). *User centered system design: New perspectives on human–computer interaction*. Hillsdale, NJ: CRC.

Oracle Corporation/Sun Microsystems (2001). *Java Look and Feel Design Guidelines*, 2nd ed. http://www.java.sun.com/products/jlf/ed2/book/index.html

Perfetti, C., & Landesman, L. (2001). The truth about download time. Web article, User Interface Engineering, Jan 31, 2001, http://uie.com/articles/download_time/

Redish, G. (2007). *Letting go of the words: Writing web content that works*. San Francisco: Morgan-Kaufmann Publishers.

Robertson, G., Card, S., & Mackinlay, J. (1989). The cognitive co-processor architecture for interactive user interfaces. *Proceedings of the ACM Conference on User Interface Software and Technology (UIST'89)*. November 1989, ACM Press, 10-18.

Robertson, G., Card, S., & Mackinlay, J. (1993). Information visualization using 3D interactive animation. *Communications of the ACM, 36*(4), 56–71.

Rushinek, A., & Rushinek, S. (1986). What makes users happy? *Communications of the ACM, 29,* 584–598.

Sapolsky, R. M. (2002). *A primate's memoir: A neuroscientist's unconventional life among the Baboons.* New York: Scribner.

Schneider, W., & Shiffrin, R. M. (1977). Controlled and automatic human information processing: 1. Detection, search, and attention. *Psychological Review, 84,* 1–66.

Schrage, M. (2005). The password is fayleyure. *Technology Review, March.* http://www.technologyreview.com/read_article.aspx?ch=specialsections&sc=security&id=16350.

Shneiderman, B. (1984). Response time and display rate in human performance with computers. *ACM Computing Surveys, 16*(4), 265–285.

Shneiderman, B. (1987). *Designing the user interface: Strategies for effective human-computer interaction* (1st ed.). Reading, MA: Addison-Wesley.

Shneiderman, B., & Plaisant, C. (2009). *Designing the user interface: Strategies for effective human-computer interaction* (5th ed.). Reading, MA: Addison-Wesley.

Simon, H. A. (1969). *The sciences of the artificial.* Cambridge, MA: MIT Press.

Simons, D. J., & Levin, D. T. (1998). Failure to detect changes in people during a real-world interaction. *Psychonomic Bulletin and Review, 5,* 644–669.

Smith, S. L., & Mosier, J. N. (1986). *Guidelines for designing user interface software.* Springfield, VA: National Technical Information Service. *Technical Report ESD-TR-86-278.*

Soegaard, M. (2007). Gestalt Principles of form perception. Web article, Interaction-Design.org, http://www.interaction-design.org/encyclopedia/gestalt_principles_of_form_perception.html

Sohn, E. (October 8, 2003). It's a math world for animals. *Science News for Kids.* http://www.sciencenewsforkids.org/articles/20031008/Feature1.asp.

Sousa, D. A. (2005). *How the brain learns to read.* Thousand Oaks, CA: Corwin Press.

Stafford, T., & Webb, M. (2005). *Mind hacks: Tips and tools for using your brain.* Sebastapol, CA: O'Reilly.

Stone, D., Jarrett, C., Woodroffe, M., & Minocha, S. (2005). *User interface design and evaluation.* San Francisco: Morgan Kaufmann Publishers.

Thadhani, A. (1981). Interactive user productivity. *IBM Systems Journal, 20*(4), 407–423.

Thagard, P. (2002). *Coherence in thought and action.* Cambridge, MA: MIT Press.

Waloszek, G. (2005), Vision and Visual Disabilities: An Introduction, SAP Design Guild. http://www.sapdesignguild.org/editions/highlight_articles_01/vision_physiology.asp

Ware, C. (2008). *Visual thinking for design.* San Francisco, CA: Morgan-Kaufmann Publishers.

Weinschenk, S. M. (2009). *Neuro web design: What makes them click?* Berkeley, CA: New Riders.

Wolfmaier, T. (1999). Designing for the color-challenged: A challenge. ITG Publication, March 1999, 2.1. http://www.internettg.org/newsletter/mar99/accessibility_color_challenged.html

站在巨人的肩上
Standing on Shoulders of Giants

TURING
图灵教育

www.ituring.com.cn

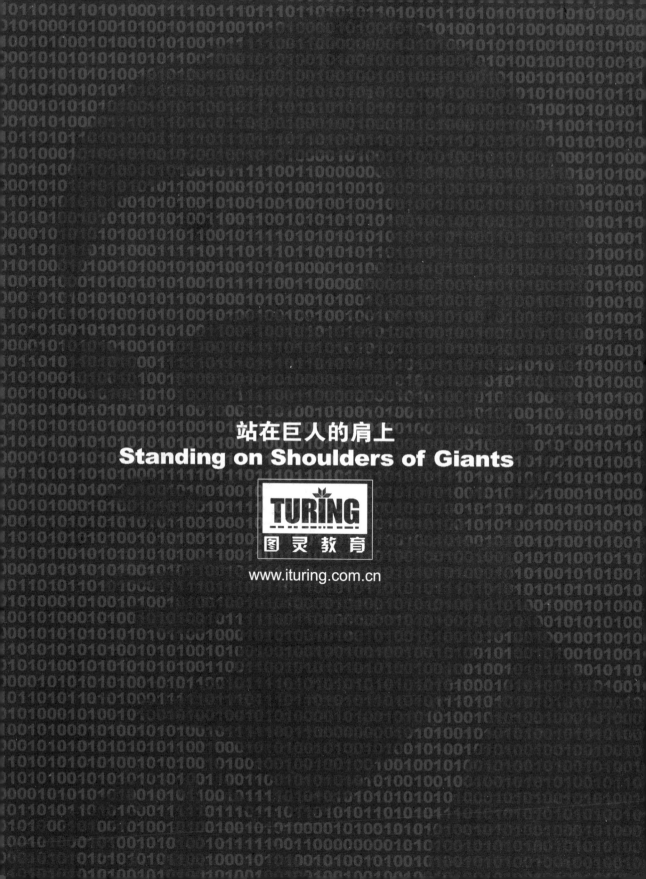

站在巨人的肩上
Standing on Shoulders of Giants

TURING
图灵教育

www.ituring.com.cn